D0610181

C'était mieux avant

Du même auteur

AUX ÉDITIONS DU SEUIL

Quand j'avais cinq ans, je m'ai tué
« Point-Virgule », 1981

Le Cœur sous le rouleau compresseur
« Point-Virgule », 1984

Quand j'avais cinq ans, je m'ai tué
suivi de
Le Cœur sous le rouleau compresseur
édition reliée, 1987

Monsieur Butterfly
1987
et « Point-Virgule », 1989

Il faudra bien te couvrir
1989
et « Point-Virgule », 1992

Histoire de Rofo, clown
(Howard Buten et Jean-Pierre Carasso)
« Point-Virgule », 1994

CHEZ D'AUTRES ÉDITEURS

Histoire de Rofo, clown
(Howard Buten et Jean-Pierre Carasso)
Éditions de l'Olivier, 1991

C'était mieux avant
Éditions de l'Olivier, 1994

Ces enfants qui ne viennent pas
d'une autre planète : les autistes
illustré par Wozniak
Gallimard, 1995

Howard Buten

C'était mieux avant

TRADUIT DE L'ANGLAIS
PAR JEAN-PIERRE CARASSO

Éditions de l'Olivier

COLLECTION DIRIGÉE PAR NICOLE VIMARD

ISBN 2-02-025036-5
(ISBN 2-87929-070-8, 1re publication)

O positif

— Tu n'as pas le droit d'entrer ici, je dis au gamin.
— Je sais.
— Ben alors tu ferais mieux...
— Je devrais avoir le droit, voilà.
— Comment ça?
— Je suis viable.
— Écoute, petit, tu vas...
— Je suis du groupe O positif. Je suis viable.

Il m'arrive au nombril. J'ai pas le don pour les enfants. Je suis à la bourre, tout seul dans ce labo d'hématologie désert pour pondre mon compte rendu en quatrième vitesse. La visite d'hier. Bozo ne va pas me rater cet après-midi.

Nous venions de terminer la « Friterie » (le service des brûlés) quand Bozo m'a surpris à rêvasser. Je regardais par la fenêtre une voiture qui passait, on aurait dit la voiture d'une fille que je connais. Vous voyez quelqu'un d'autre qui se baladerait capote ouverte en novembre ? Il m'a posé une question sur les critères qui permettent de distinguer le degré de diverses brûlures — premier, deuxième, troisième — disant que les apparences peuvent être trompeuses : alors que la muqueuse fait penser à du bacon mal cuit, la brûlure peut n'avoir atteint que le derme, sans toucher le muscle. Il a vu que je n'écoutais pas. En me retournant, j'ai vu qu'il me regardait fixement. Il a reporté, pour l'interroger, son regard vers l'interne qui était à côté de moi — ce taré, qui sort de Tufts — et puis il m'a balancé un de ces brefs coups d'œil entendus comme il fait si souvent. Le coup de phare des yeux plissés. Il a dit :

— Reprenez-vous, docteur.

Je me reprends. Enfin j'essaie. Je suis là, dans ce labo d'hémato, pour revoir mes notes. La visite est à cinq heures. Il est quatre heures et demie. Et maintenant ce chiard.

— Viable ?

Je m'assieds.

— Je suis du bon groupe sanguin. O. Alors, je suis là.

— Ça, je le vois.

— Quel bras est préférable ? Le droit ou le gauche ?

Il a trébuché sur préférable.

— Attends, petit...

— Pour savoir quelle manche je dois rouler.

— Ni l'une ni l'autre. Tu ne devrais pas être ici. Tu vas rien rouler du tout. C'est marqué sur la porte. Tu sais pas lire? Quelqu'un de viable, comme toi? Où sont tes parents? Qu'est-ce que tu fais ici? Les infirmières t'ont laissé passer? Arrête.

Il roule ses deux manches. Ce que je remarque, c'est qu'il les roule comme un adulte. Qu'il a manifestement répété ce geste, vu son père le faire — le mouvement du poignet, vif, comme pour retourner une crêpe. Mais il a les mains trop petites. Il a du mal, il s'applique, concentré, extrêmement digne pour quelqu'un qui a sa coupe de cheveux.

Je me demande l'âge qu'il peut avoir. J'essaie de le comparer en pensée au fils de mon cousin, mais si j'arrive à voir le fils de mon cousin très clairement, je n'ai pas la moindre idée de son âge à lui non plus. J'ai pas le don pour les enfants. Je ne me rappelle pas l'âge de mon cousin. Je dois apprendre tous les os de la main pour la visite de cet après-midi. Cet après-midi, Bozo nous fait l'orthopédie et je ne suis pas prêt.

— Qui t'a appris à faire ça?

— Quoi?

— A donner des tapes au creux de ton bras.

— C'est pour que les veines se voient mieux.

— Ça, je le sais. Mais qui t'a appris?

— J'ai déjà donné mon sang.

— C'est pas vrai.

— Si, c'est vrai. Pour ma glycémie, il y a deux ans. Je fais de l'hypoglycémie. Ça explique les étourdissements. C'était ici, dans cet hôpital. J'ai eu droit de manquer une demi-journée.

— De l'hypoglycémie?

— Elle est corrigée.

— Excellente nouvelle. Je me faisais un sang d'encre. Dis donc, quel âge as-tu, au fait?

— Onze ans et deux mois.

— Tu es trop jeune pour donner ton sang. Au revoir.

— Y a un règlement qui dit ça? On peut voir?

Je ne suis vraiment pas d'humeur. Hier, j'ai déjà perdu ma soirée. Randall m'a appelé, des tuyaux médicaux qu'il voulait pour une copine de sa tante, ça après l'incident Bozo... et double visite aujourd'hui. (Je ne sais pas pourquoi j'ai cru que c'était Naomi, dans cette décapotable. Elle n'a jamais eu de décapotable, et je ne voyais même pas son visage. Un instant, j'ai été sûr que c'était elle.) J'ai répondu aux questions de Randall en souvenir du bon vieux temps. C'est après avoir raccroché, quand j'ai essayé de dormir, que je me suis mis à tourner et à retourner tout ça dans ma tête. On était amis autrefois — Randall, Gabe, moi, quelques autres. Des tas de gens étaient surpris qu'on fasse tellement de choses ensemble, ils disaient que c'était inhabituel. Je me rappelle qu'on en était farauds.

Un jour, après l'université — après l'université pour ceux d'entre nous qui avaient eu la chance de ne pas choisir de faire médecine —, Randall avait appelé et déclaré qu'il avait décidé d'être sincère pour la première fois de sa vie à propos de ses sentiments parce qu'il se sentait enfin suffisamment en accord avec lui-même. Il avait donné rendez-vous à Naomi dans un snack et, quand elle était arrivée, avait annoncé que mon amitié lui était précieuse, mais qu'il trouvait intolérable sa manière de monopoliser les conversations et que, bien qu'elle l'eût déjà reconnu et prétendît vouloir changer, il avait décidé qu'être son ami avait cessé de valoir l'effort que cela coûtait.

J'étais marié avec Naomi depuis trois ans — le genre d'erreur qu'on commet à la fac, le truc qui semble une bonne idée sur le moment. C'est vrai qu'elle avait une personnalité encombrante. N'empêche, on fait pas ça à la femme d'un ami.

On se parle encore, pourtant, Randall et moi. Certains se sont écartés de lui, mais moi je ne peux pas. Il appelle parfois, et, de temps à autre, on boit un café. L'espace d'une heure, ça redevient comme avant. Je me dis que ça vaut la peine, que cette heure-là en vaut la peine. Naomi et moi, on est divorcés depuis deux ans.

Le gamin a bien l'air d'avoir onze ans, je le vois maintenant. Il ressemble à ce à quoi ressemble quelqu'un de onze ans. Le fils de mon cousin est plus jeune.

— Tu donnes des tapes sur tes veines comme si tu étais infirmière, je lui dis.

— J'ai vu une infirmière le faire quand je suis venu pour ma glycémie. J'ai une bonne mémoire des choses.

Il s'interrompt une seconde.

— Les hommes aussi peuvent être infirmiers.

— Évidemment. J'ai dit ça parce que je trouve que tu le fais bien.

Bozo dit : « Les patients sont les meilleurs médecins parce qu'ils savent comment ils se sentent. » Il nous a dit ça pendant une visite la semaine dernière. C'est son ton qui m'avait mis en rogne. Je me suis senti obligé de faire remarquer que les médecins aussi étaient tous des patients, un jour ou l'autre. Il s'était ensuivi un de ces silences lourds de tension à la fin duquel Bozo m'avait jeté un regard noir, les sourcils froncés. Les autres m'ont engueulé. Seulement c'est plus fort que moi. J'emmerde la lucidité.

— Je crois qu'il vaudrait mieux le bras gauche, dit l'enfant. Les veines sont plus grosses. Mais peut-être que c'est des artères. Elles ont l'air bleu, alors c'est des veines ?

Il regarde fixement son avant-bras, le front plissé.

— Le bleu, c'est dans les bouquins, je lui dis. Pour distinguer les veines des artères, qu'on puisse apprendre. Je suis sûr que tu as un écorché. Il n'y a pas de sang bleu. Tu as déjà vu du sang bleu, toi ?

— Non.

Il jette un coup d'œil circulaire sur le laboratoire. Je regarde ma montre. Plus que vingt minutes avant la visite et toujours pas de costume pour le bal. J'ai une pub dans la tête depuis des heures, je me suis réveillé avec. J'entends la cadence, mais je ne me rappelle pas les mots, ce qu'elle vante. C'est une torture. Quand on se réveille avec ça, on en a pour la journée. Ça devrait être réglementé aussi sévèrement que les armes, le commerce des radio-réveils.

— Qu'est-ce que vous marmonnez ?

— Rien, je dis. Les os de la main. Je marmonne les os de la main. *La première rangée du carpe : scaphoïde, semi-lunaire, pyramidal.*

Le gamin hoche du chef, examine de nouveau la pièce.

— Ce laboratoire dispose de tout le matériel moderne, dit-il.

— *La médiocarpienne unit les os de la première rangée du carpe à ceux de la deuxième rangée, trapézoïde, trapèze, grand os, os crochu...* J'en sais rien, moi.

— Vous en savez rien ?

— Je ne travaille pas ici. L'hémato, c'était il y a deux mois. Pour l'instant, c'est les os de la main. J'ai tout oublié. Ce que je sais, c'est que tu n'as rien à faire ici.

— Vous travaillez pas ici ?

— Dans ce labo, non. Mais je travaille dans ce bâtiment. J'ai un badge et tout, tu vois ? Et toi, tu devrais arrêter de te donner des tapes sur les vaisseaux pour retourner d'où tu viens. D'où viens-tu ?

Il ne répond pas.

— Tu es avec un parent, quelqu'un qui t'accompagne ?

— Elle est dans la salle d'attente.

— Qu'est-ce qu'elle attend ?

— De me ramener à la maison.

— Tu es malade ?

— Non.

— Tu es venu faire des examens ?

— Non.

— Alors, qu'est-ce que tu es venu faire à l'hôpital ? Cette aile est réservée au personnel médical — il y a un écriteau qui le dit sur la porte battante par laquelle il a bien fallu que tu passes. Et il y a une bonne raison pour ça, figure-toi : il y a des malades ici qu'il faut soigner, imagine que tu es dans nos jambes. Nous sommes dans un labo d'hématologie. Et si quelqu'un avait brusquement besoin de sang, une urgence, et qu'on trébuche sur toi en passant ?

— Je suis du groupe O.

— Et moi c'est les Beatles, maintenant va-t'en.

— Mortimer est du groupe O, lui aussi.

— Mortimer, qui c'est ?

— Mon copain.

— Ben voyons, Mortimer. Écoute, petit, il faut que je réapprenne tous ces os pour cinq heures. Tu m'embêtes. On dit toujours un tas de choses après les opérations. Je suis sûr que Mortimer va très bien. Les patients sont les meilleurs médecins. Au revoir, tu veux bien ?

Avant de raccrocher hier soir, Randall m'a demandé si je voyais encore Gabe. Je n'ai pas vraiment répondu. Venant de Randall, je trouve que c'est culotté.

Je le vois, Gabe, mais pas souvent. J'avais l'habitude de lui téléphoner, mais en constatant qu'il lui fallait une semaine pour me rappeler, et que parfois il ne rappelait pas du tout, j'ai fini par comprendre. Il est marié, il a des enfants, il est débordé. Très bien. C'est classique. Je comprends, oui. Les choses changent. Ce n'est pas que je souffre, c'est seulement que je souffre un petit peu. Ce n'est pas une douleur, c'est l'absence du contraire de la douleur — mais qu'est-ce que c'est ? Je crois que pour la plupart des gens le contraire de douleur c'est pas de douleur. Je crois que je ne sais pas pourquoi je ne suis pas capable de comprendre ça. On riait tellement, on riait si fort.

— Il est arrivé quelque chose, dit le gamin.

Il semble très sûr de lui, sûr d'avoir raison. Il se remet à visiter, tripotant les éprouvettes alignées à côté de la centrifugeuse, puis recommence à donner des tapes sur ses veines. Je n'ai jamais vu un enfant se tenir aussi droit.

Un nom résonne dans les haut-parleurs. C'est mon nom. Une seconde plus tard, je me rends compte que le nom n'a aucun rapport avec le mien. Je prends une profonde inspiration et quand je souffle, mon souffle est brisé, comme un sanglot. Je dis :

— Qu'est-il arrivé à Mortimer ?

— Je sais pas, dit-il. On veut pas me le dire. Ils disent qu'il n'y a aucune raison de s'inquiéter, mais je vois bien que tout le monde s'inquiète.

— Peut-être pas. Tu devrais peut-être croire ce qu'on te dit.

— Je crois la tête qu'ils font. Je suis pas tombé de la dernière pluie.

— Excuse-moi, mais tu as l'air tombé de la dernière

pluie. L'hôpital a du sang pour Mortimer. Il y a une grande salle tout entière pleine de sang, de tous les groupes. Un vrai supermarché du sang. Il est congelé. On le congèle dans des petites poches en plastique, comme les glaces à l'eau, les sucettes glacées, qu'on presse pour les faire sortir.

— Les *Mister Freeze*?

— Peut-être, j'en sais rien. Il y a du sang pour Mortimer.

Le gamin réfléchit une minute.

— Comment on le fait fondre?

— Je ne sais pas. On le met dans un truc.

— Quel truc?

— Je ne sais pas.

Je me rends compte qu'on ne nous a jamais dit comment le sang était décongelé.

— Ça n'est pas mieux quand il est frais? Comme le lait?

— Je ne crois pas que le sang soit comme le lait.

Il cesse de se promener, croise les mains devant lui, regarde la porte. Il regarde fixement la porte.

— Je propose qu'on utilise mon bras gauche, mais sinon c'est pas grave, je peux manquer mon cours de violon, demain. Je m'en irai pas.

Il y a du bruit dans le couloir. Je vois plusieurs têtes passer devant le petit carreau de verre armé de fil de fer. Je ne comprends pas ce qui se dit. Je regarde ma montre.

Le gamin est toujours immobile, les mains croisées devant lui.

Trois personnes entrent.

Deux femmes et un homme. Une des femmes tient un *Marie-Claire*, un doigt à l'intérieur pour marquer sa page. L'autre femme est blonde. Elles entrent dans le labo et entourent le gamin. L'homme reste près de la porte. C'est Bozo.

— Ah, te voilà ! dit la blonde au gamin. On te cherche partout !

— Je m'en irai pas.

— Tu veux arrêter ces bêtises !

Le gamin détourne les yeux. Il me regarde. Je regarde mon cahier.

— Écoute, Floyd...

La blonde tourne autour du petit garçon et va se placer de l'autre côté.

— Floyd, mon chéri...

Je serais content de disparaître.

La femme qui a un doigt dans *Marie-Claire* se tourne pour regarder Bozo. Elle s'approche du petit garçon, s'accroupit sur un genou.

— Écoute, petit, dit la femme accroupie, Mortimer va très bien. Il a tout ce qu'il lui faut. Tout le sang qu'il lui faut. Les hôpitaux sont faits pour ça. Tu penses bien que, s'il nous en fallait plus, nous en demanderions. Tu es son meilleur ami ! Tu es la première personne à qui nous demanderions !

— Non, il faut toujours demander aux médecins d'abord, pour avoir un avis médical.

Marie-Claire tombe de la main de la femme. Elle le ramasse.

— Évidemment, oui, tu as raison. Ce n'est pas ce que je voulais dire.

— Si tu demandais au Dr Bosino, hein, Floyd ? dit la mère de Floyd. Elle lui touche l'épaule. Il te le dira, lui. Il est médecin !

Je regarde Bozo. Il me regarde fixement.

— J'étais venu réviser, je dis. Il n'y avait personne, alors je suis venu rédiger mon compte rendu.

Bozo ne dit rien, il tourne les yeux vers le groupe, son regard s'arrête sur l'enfant. Je me dis que, des cinq personnes rassemblées dans le labo d'hématologie, aucune n'a rien à y faire.

La blonde dit :

— S'il te plaît, Floyd, sois raisonnable. Mortimer n'a pas besoin de ton sang. Et les enfants n'ont pas le droit de donner leur sang. Tu as besoin de tout le sang que tu as pour rester fort, pour Mortimer. Pour être en forme quand vous jouerez ensemble à sa sortie.

— Je m'en irai pas.

Tout le monde regarde Floyd. Il est campé là, stoïque. Il faut encore quelques secondes pour qu'on voie, presque imperceptiblement, se soulever sa poitrine. Ses lèvres se crispent, il lutte de tous les muscles de son visage tandis qu'il se met à pleurer, refuse de pleurer, pleure.

Alors je comprends quelque chose.

La mère tend les bras vers l'enfant, mais il s'écarte. Il y a un silence.

Ceci : qu'il ne s'agit pas d'avoir quelqu'un à qui prendre du sang, il s'agit d'avoir quelqu'un à qui le donner.

Une voix rompt le silence.

— En fait...

Tout le monde se tourne vers Bozo. Quittant la porte, il se dirige vers moi, les autres s'écartant pour le laisser passer. Il tend la main, paume tournée vers le haut. Je ne comprends pas tout de suite, puis je lui remets mon cahier.

Le Dr Bosino le feuillette, hoche du chef, marmonne vaguement, puis s'arrête sur une page.

— Ah !

Du doigt, il désigne quelque chose, plisse le front.

— C'est bien ce que je pensais, dit-il. Il s'avère que Mortimer a précisément besoin d'un peu plus de sang. Il nous en manquait un peu.

Il regarde Floyd.

— Vous, là... vous ne seriez pas du groupe O, par hasard ? Bon, excusez-moi, les garçons de onze ans ne connaissent pas leur groupe sanguin...

— Je suis du groupe O. Comment savez-vous que j'ai onze ans ?

— Ah, vous avez onze ans ?

Il réfléchit un instant.

— Écoutez, c'est une urgence. Vous voulez bien relever votre manche ?

— Elles le sont déjà.

Il pose mon cahier, va jusqu'à un placard, en tire une seringue et une aiguille, prend un tampon de coton, le presse contre le flacon d'alcool. Il ajuste l'aiguille sur la seringue, s'approche du gamin.

— Je dois vous dire que cela va sans doute vous faire très mal, dit-il.

Floyd déglutit péniblement, les yeux fixés droit devant lui. L'aiguille s'enfonce. Bozo tire deux centimètres cubes.

— Appuyez ça là. Maintenez-le en place quelques minutes.

Il regarde la seringue.

— C'est exactement ce qu'il nous fallait. Je cours le porter. Excusez-moi.

Le Dr Bosino sort.

Les deux femmes se regardent. La blonde touche Floyd, qui se laisse enfin aller entre les bras de sa mère. Ensemble ils sortent tous les trois du labo.

Je les regarde partir, je regarde la porte se refermer.

Jamais je ne me rappellerai tous ces os pour cinq heures. Je ferme les yeux, les rouvre, et j'essaie de nouveau. J'essaie de me rappeler la pub à la radio ce matin, et les critères des degrés — premier, deuxième, troisième —, mais je n'y arrive pas. Je reste là jusqu'à ce qu'il soit l'heure, puis je ferme mon cahier et je me dirige vers la porte. En chemin, je m'arrête pour regarder par la fenêtre. Trois voitures passent. Randall, Gabe, Naomi, et tous ces pauvres gens, brûlés, défigurés, méconnaissables.

Petits mensonges sans importance pour petits blancs sans importance

Sheila se pointe enfin.

— Excuse-moi, elle dit. Je suis venue en voiture de Potosky, j'ai passé la nuit chez mes cousins. Ça fait quand même un bout de chemin. Ces routes de campagne, avec le verglas.

— Ça va. T'as tué quelqu'un sur la route?

— Quoi?

— Ben, tu sais. Une biche peut-être et son petit faon, ou je ne sais quoi. C'est beau, la sélection naturelle.

— Bud!

— Je blague.

Une heure qu'elle devrait être là. Je la mets au courant de l'inventaire, des reçus, des livraisons, des dépôts en banque. Elle fait la nuit, Sheila, cinq heures — deux heures du mat. Elle fait ça parce qu'elle est une femme, pour convaincre le monde qu'elle a peur de rien. Seulement, le truc, c'est qu'elle a peur de rien. Elle a pas peur de moi, en tout cas.

— Commande du lait, je lui dis. On en a presque plus.

— Du lé?

Je la regarde.

— C'est ça : du « lé ».

La façon de parler des gens. Y'a pas moyen d'y échapper, même pas ici, dans le grand Nord.

Je suis gérant de cette supérette, ici, à Traverse City, dans le Michigan. Une ville où y a que des cerises. Tout est cerises à Traverse City : hôtel du Comté de la Cerise, théâtre du Comté de la Cerise. La plage attire un peu de monde en été. En automne, les gens viennent voir les feuilles changer de couleur. En hiver, c'est mort.

Là, c'est l'hiver.

J'habite depuis un bout de temps un motel transformé, près du camp de caravanes, en lisière de forêt, à côté de l'autoroute. On dit que le ciel d'hiver sur Traverse Bay était le ciel préféré de Hemingway. A croire qu'il est jamais venu du côté que j'habite. Ma kitchenette donne sur la caravane de couleur bleue d'une famille d'êtres humains de couleur blanche. J'ai jamais vu personne bouffer autant d'amidon. Une forme d'endogamie.

Ça fait un an que je suis gérant de cette supérette, depuis que je suis rentré de Los Angeles. Je bossais pour mon oncle. Il a une chaîne de bijouteries, là-bas. Il m'a demandé d'aller faire l'ouverture de sa succursale de Las Vegas. Je vivais à Detroit, et mon job de VRP en vêtements marchait pas fort. Tout le monde me trouvait sympa à Las Vegas. Je sais vendre de la glace aux Esquimaux. Et je mettais une bonne ambiance dans la boutique. Personne n'a jamais eu le moindre soupçon pour la coke.

Je suis devenu gérant de la succursale de Las Vegas. J'ai toujours aimé le jeu. Mais entre ça et mes histoires de sniffette, je me suis mis dans une situation chatouilleuse. Y en a qui détournent vraiment plus. Je trouve que mon oncle a fait une montagne de pas grand-chose.

Pour finir, on s'est mis d'accord que je ferais une psychothérapie et que je le rembourserais par mensualités. Le jour du dernier paiement, j'ai mis mes affaires dans ma Comet et je suis revenu dans le Michigan. Mais pas Detroit, tout de même. Je voulais pas que les gens me regardent. Sans compter que, depuis que Treese est mort, les choses sont plus pareilles. J'avais une petite amie, elle était entrée aux Alcooliques anonymes et s'était installée à Traverse City, où elle avait ouvert une affaire de vente par correspondance.

us Las Vegas. Mais je me

On est tous revenus pour
t arrivés juste à temps. Les
uées entre Treese et moi,
tit peu, à cause de ce qui
oire du grille-pain. On en
ême, enfin, un peu.
uniforme de la boutique.
chips, je lui dis. J'ai trouvé
les sachets-pratiques-de-
isser les uns sur les autres
s, tu les prends et tu leur
poing de toutes tes forces.
côté concave et un autre
s uns dans les autres, sans

a, enfin ce qu'il en reste.

— « Concaténation » de chips, je lui dis. Concaténation. Tiens, les clefs.

— T'es malade.

Dans le parking, l'air est comme du thé glacé, et il y a un coin rose dans le ciel, on dirait une couverture, un truc comme ça, repliée. La doublure de satin, comme on voudra. De la vapeur me sort de la bouche. Quand j'étais petit, je faisais semblant de fumer, je piquais une sèche à mon vieux et je sortais, je faisais semblant d'inhaler, je soufflais la vapeur. C'est ce qu'il y a de pire quand on fume — on peut plus faire semblant de fumer.

Je prends l'artère principale qui ramène vers le centre. Ça fait un moment que j'essaie de me rappeler une blague. C'est un mec qui tripote sa nana, puis il lui met toute la main, et puis tout le bras. Et puis il se retrouve à l'intérieur de sa nana, il se balade, et il se cogne dans un autre mec, accroupi par terre. Il lui demande : « Comment qu'on fait pour sortir ? », et l'autre mec lui dit : « Ben, si j'arrive à retrouver mes clefs, on repartira en bagnole ! » J'essaie de me rappeler cette blague. Il me faut bien cinq minutes pour me rendre compte que je me la suis rappelée.

Ce bar, là, s'appelle Midge's. Une petite bière vite fait et je rentre. Y a des tas de citoyens, ici. La plupart, j'ai déjà vu leur tête. Je suis le seul être humain sur la terre qui porte pas une casquette de base-ball. L'hôtesse s'amène. Elle a les jambes comme des bananes bronzées.

— Fumeur ?

— Comme un pompier.

Quand je partageais une maison avec Treese à Detroit, on était allés dans un rade une fois, il ressemblait à celui-là. Il y avait une table de billard et des tas de tatoués qui tenaient des queues. J'ai commis l'erreur de dire : « Joli coup, beau blond », à un mec qui apparemment s'appelait pas « beau blond ». On s'est retirés avec beaucoup de dignité.

Je me rappelle qu'en partant on est passés devant une boutique de pompes funèbres sur le chemin de la maison. Elle appartenait à un nommé Cram, y avait son nom sur la toile de l'auvent. Y avait eu un incendie récemment, mais personne n'avait touché à rien. Sauf que quelqu'un avait bombé un « é » après le nom de Cram.

— C'est des choses comme ça, je me rappelle que Treese avait dit.

Je me repasse la blague en esprit. Ce que j'arrive pas à comprendre, c'est comment on peut être par terre à l'intérieur d'une nana. Je sais pas pourquoi, mais c'est pas drôle. Il doit manquer quelque chose.

La serveuse s'amène. J'apprends son nom, sur son badge.

— Salut, Tracy. Ça va comme tu veux ? Je voudrais du pain grillé avec du beurre.

— On ne sert pas de pain grillé.

— Pourquoi ça, Tracy ?

— C'est un bar, ici. Le pain grillé, c'est pour le petit déjeuner.

— Vous avez bien un grille-pain.

— Non.

— Mais les gens, là, ils bouffent un croque-monsieur.

— On les fait sur le gril.

— Allez, quoi, Tracy.

— Non.

— Bon, ben alors une Stroh.

Elle se barre. Rien ne m'humilie, c'est une qualité que j'ai.

Quand je me retourne, y a un mec avec une casquette qui se dresse devant moi.

— Liam ! je fais. Salut, mon grand...

Il me regarde fixement.

— Eh, Liam, on va pas remettre ça, non ?

Il me regarde fixement.

— Comment veux-tu que je t'aie traité de crypto-nazi, Liam ? Je sais même pas ce que c'est, un crypto-nazi. Je t'ai dit que c'était des ragots à la con.

— Je répète seulement ce que quelqu'un a entendu.

— Entendu ? Qui ? Écoute, Liam, on se connaît depuis longtemps nous deux, non ? Tu vas pas me dire que, pour une rumeur malveillante à la con, tu vas démolir une amitié qu'on a mis si longtemps à construire ?

— Je répète seulement.

— Je sais que tu répètes seulement, je dis.

J'allume une sèche, souffle la fumée vers le plafond. Liam met les mains dans les poches arrière de son jean, fait passer son poids d'une jambe sur l'autre.

— Je trouve qu'il vaut mieux que les choses soient claires, il dit.

— Là, je suis d'accord avec toi.

— Pour assainir l'atmosphère, c'est tout.

— T'as parfaitement raison.

— Assainir l'atmosphère.

— Merci, Liam, je dis. Sincèrement, je suis sincère. Du moment que c'est bien. Si tu veux que je te paie maintenant, je te paie maintenant. Tu me livreras quand tu seras dans le quartier. Ça fait pas problème pour moi.

Liam glisse une main dans son blouson. Je me rejette en arrière. Mais c'est seulement son portefeuille.

— Ben, si ça te dérange pas, Bud...

— Ça me dérange pas.

Je sors mon portefeuille.

— On a dit trente, c'est ça ?

— On a dit trente-cinq.

— Écoute, Liam, je crois qu'on a dit trente.

— Trente-cinq.

— Parfait. Ça va très bien. C'est ma mémoire. Saloperie d'Alzheimer.

— Trente-cinq.

— Tu sais, je suis pas sourd.

Liam prend les biftons, les plie comme ce genre de mec plie les biftons, sort une agrafe à billets. Avec un cheval dessus.

— Merci, Bud.

— *Danke schön.*

— Pardon ?

— Rien, rien.

Liam se tourne vers l'entrée.

— Je suis content qu'on ait réglé ça.

— Moi aussi.

— J'espère que c'est réglé.

— C'est réglé.

— Salut.

— *Arrivederci.*

Petits mensonges sans importance, pour petits blancs sans importance. J'allume une autre sèche. Qu'est-ce qu'y faut pas supporter pour acheter un peu de marijuana par ici. C'est le tiers-monde. On se connaît depuis longtemps, mon cul. Salopard de crypto-nazi.

Y a un groupe d'ados au comptoir. Ils ont tous des grolles trop grosses. Ils font semblant de s'y connaître en bières, friment en comparant telle bière à telle autre. L'un d'entre eux passe près de ma table, en route pour les chiottes.

— Dites donc, les gamins, vous feriez pas mieux de sortir vous shooter à l'héro ? je lui dis. Tu sais pas que l'abus d'alcool est dangereux ?

Au comptoir, ils sont en train de diviser l'addition. Ils discutent pour savoir qui a bu quoi. Cette attitude capitaliste me colle la rage. Les jeunes d'aujourd'hui, ils achètent quand ils devraient voler, ils volent quand ils devraient donner.

Quand Treese et moi on partageait la baraque, on faisait nos courses au Krogers ouvert toute la nuit. Y avait un jeune couple, une fois, qui poussait deux caddies débordants. Je leur ai causé. Après que je leur ai eu parlé de mes dernières expériences de transplantation cérébrale, ils m'ont dit qu'ils venaient de s'installer ensemble, contre la volonté de leurs parents, et qu'ils étaient venus acheter les provisions de base. En sortant on a filé trente dollars à la caissière pour qu'elle les déduise de leur note, en lui faisant jurer le secret. On avait plus assez pour nos propres courses, du coup. Mais on faisait pas beaucoup la cuisine, de toute façon.

Je fais un signe à Tracy.

— Tiens, je dis en lui tendant un billet de vingt, c'est moi qui invite les jeunots, là-bas. Je suis prêt à tout, pour qu'ils arrêtent de mégoter comme ça.

Les ados se cassent, ébahis. Par la porte, je les vois s'arrêter dans le parking pour finir de bouffer leurs bretzels.

Devant la caisse, il y a une grosse bonne femme. Je l'ai déjà vue. Elle vient au magasin et elle achète tous mes bâtonnets de poisson surgelé. Je l'observe. Elle est en train de compter sa monnaie. Elle porte les pièces une par une jusqu'à ses yeux, tout près, les range soigneusement dans un petit porte-monnaie. Elle met le porte-monnaie dans son portefeuille, le portefeuille dans son sac à main, son sac à main dans la poche de son manteau. Tout d'un coup, je suis incroyablement triste. Quand elle sort dans le parking, les mômes arrêtent de mastiquer leurs bretzels. Ils s'écartent pour la laisser passer. Je leur pardonne.

Quand on était mômes, on restait dormir chez Treese les fins de semaine. C'était là qu'on organisait nos marathons pain grillé. On bectait du pain grillé toute la nuit — on beurrait, on bectait, on beurrait, on bectait. Ils avaient un grille-pain incroyable dans sa famille, une espèce d'antiquité. Les boudins des résistances étaient visibles. Treese nous racontait que ses parents s'en faisaient tout le temps offrir des milliers de dollars. Les autres étaient tous sûrs que je finirais par le bousiller. J'avais mauvaise réputation, et les parents de Treese étaient radins. Des fois, quand on était à court de beurre, au lieu d'aller en acheter encore, je prenais ce qui restait dans leur réfrigérateur pour le finir. Le matin, sa mère était complètement effondrée parce qu'y avait pas de beurre pour le petit déj. Treese disait que c'était lui qui l'avait pris.

L'histoire du grille-pain s'est passée quand on était en fac.

Pour pas faire une overdose de cours, j'avais pris un boulot dans une pizzeria. Y avait des flippers. Pas la peine que je vous en dise plus.

Quand j'y repense aujourd'hui, j'ai du mal à me rappeler, à distinguer les mauvaises fréquentations des bonnes. Y avait cette nana qui dealait de la marijuana. Elle regardait par-dessus mon épaule quand je jouais au zinzin. C'était le genre de dealer qui ne voit jamais la marchandise. Tout se faisait par téléphone. On parlait de base-ball sans arrêt tous les deux. Elle était vraiment chouette, elle mettait un parfum, là. Ce que je me rappelle surtout, c'est son rire, ce que ça faisait à sa bouche. C'était le plus joli rire que j'aie jamais entendu. On a fini par se mettre ensemble.

Un jour elle m'a dit que le mec avec qui elle dealait — un mec qu'était pas tout à fait de la mafia — lui avait proposé un moyen de gagner plus de fric, mais qu'elle devrait voir la marchandise.

Quand j'y repense aujourd'hui, j'ai du mal à dire ce qui était dangereux et ce qui l'était pas. Tout s'est barré en eau de boudin, pour une raison ou pour une autre. Le mec qu'était pas tout à fait de la mafia s'est retrouvé dans une vraie merde avec les mecs de la mafia et il a menacé de balancer Tina si elle trouvait pas le fric dont il avait besoin pour que les autres le lâchent. Tout ça, c'était pas mes oignons.

Seulement le truc, c'est que j'étais tombé amoureux d'elle, enfin, pour ainsi dire. Elle était sympa avec moi. Et puis son rire.

Un jour que j'encaissais une énorme commande pour une association d'étudiants fachos, j'ai mis le fric dans ma poche et voilà. Y avait juste assez pour tirer Tina d'affaire.

On faisait les comptes deux fois par semaine au restau. J'avais soixante-douze heures pour remplacer le fric. J'ai essayé de pas y penser. Le matin du troisième jour, j'ai appelé Treese.

Il a dit que c'était pas l'idée de vendre un appareil

ménager qui le défrisait — même si c'était une espèce d'héritage familial ou je ne sais quoi et qu'il allait en prendre plein la gueule. Il a dit que c'était pas non plus l'idée de favoriser mes tendances criminelles — après tout, c'était pas pour moi que je l'avais fait. Mais quand même.

Je lui ai dit : *Si tu étais mon ami, tu ferais ça pour moi.*

Il m'a répondu : *Si tu étais mon ami, tu ne m'aurais pas demandé de le faire.*

Il a essayé de trouver d'autres façons pour moi de me procurer le fric. Mais je lui ai dit que s'il était contre par principe, c'était pas la peine qu'il se fatigue.

C'est un truc qui s'est passé entre nous. Pour finir, j'ai eu la moitié du fric par ma mère. J'ai avoué à mon patron pour l'autre moitié, et il m'a permis de travailler pour le rembourser.

On a reparlé de cette histoire de grille-pain de temps en temps, jusqu'à la fin de la vie de Treese. Ça n'a plus d'importance, maintenant. C'est enfermé dans une capsule temporelle, quelque part, enterré dans le jardin de quelqu'un. Enterré, comme Treese est enterré.

Il y a un groupe de gens près de la porte chez Midge, qui sont là pour fêter quelque chose. Ils portent des tenues de sport. C'est Taco Bell qui parraine un tournoi de hockey ou je ne sais quoi. Ils font un raffut terrible. Mais le truc : chaque fois que la serveuse leur apporte quelque chose, ils la remercient très doucement.

Je paie ma Stroh. Je laisse deux dollars de pourliche à Tracy. Ça fait du 50 %. Tout pour faire plaisir.

Dans le parking, je tombe sur quelqu'un que je connais. Il vient au magasin et on taille une bavette de temps en temps.

— N'oubliez pas de m'inviter à votre expo, il dit. Je meurs d'envie de voir vos huiles, après tout ce que vous m'avez dit !

Il s'est mis à faire encore plus froid. Les portières de la Comet font ce bruit, là, elles grincent. Je monte. Mon haleine se dépose en vapeur sur les vitres et je finis par plus rien voir du tout. C'est pas ce que les gens croient — bosser dans une supérette n'est pas indigne de moi. Les horaires sont pas mal. Je me marre de temps en temps. Je vois du monde.

Je démarre le moteur. J'enfonce l'allume-cigare et j'attends qu'il ressorte. Quand il ressort, je le prends et je le regarde. Je le tiens devant ma figure. La résistance est visible. Elle luit, rouge, dans l'obscurité. Je regarde la résistance, et puis elle s'éteint, elle meurt, elle aussi.

Une idée à 100 millions de dollars

D'abord l'odeur de pisse de chameau t'envahit les narines, ensuite elle te monte au cerveau. Elle s'échappe de tes pores comme une survivance d'un vieux repas déjà oublié et tu te mets à en rêver. Bientôt, tu ne goûtes plus rien. Ça n'a pas d'importance. Je ne peux plus rien goûter de toute manière, à cause de ce que j'ai traversé. La chimiothérapie avait tué mes papilles longtemps avant que je vienne ici me faire administrer la pisse de chameau. Ils m'avaient dit à New York que la chimiothérapie me sauverait peut-être la vie. Mais non.

Et puis ils ont essayé la transplantation de moelle osseuse. La transplantation de moelle osseuse avait l'odeur des olives noires en boîte — ces olives noires dénoyautées qu'on farcit et qu'on pique sur des cure-dents. Ils m'avaient dit que la moelle osseuse sentirait l'ail, ils m'y avaient préparé, en même temps qu'aux autres effets secondaires de la cytopénie — les vomissements, l'urine verte, la perte de poids, la dépression, le pourrissement qui te réduit peu à peu à rien. Ils avaient raison sur tous les points, sauf l'odeur. Pas l'ail. Les olives.

C'était moins horrible que la chimiothérapie. Ils m'avaient dit que ça me sauverait peut-être la vie. Mais non.

Olives noires. J'étais hospitalisé à New York depuis plus d'un mois déjà et Jane était venue tous les jours. Je lui dis donc de prendre un jour de repos, de se détendre, d'essayer de voir des gens. Rubinstein la remplaça. Il était de retour à New York depuis quelques semaines, rentré de Paris où il était allé procéder à la fusion de deux sociétés de matériel téléphonique, ou je ne sais quoi — le yuppie en action —, et voir Robert. C'était dimanche.

Le dimanche à l'hôpital est différent des autres jours. Les visiteurs viennent après la messe. Mieux habillés, pénétrés de piété, plus respectables. On s'en aperçoit aux stations qu'ils choisissent de faire beugler sur le transistor du parent qui agonise dans la chambre voisine, pour couvrir les gémissements.

Nous étions en train d'écrire une chanson intitulée *Cytopénie*. Une idée de Rubinstein.

La voici :

Les jours de cafard
Quand, tout seul dans le noir,
Tu sais qu'tes globules blancs se barrent,
Cytopénie
Cytopénie
T'arrives en catimini

La cytopénie, c'est la diminution du nombre des cellules, un état biologique de déficience immunitaire induit par la chimiothérapie. Sur la porte de la chambre d'hôpital, un écriteau préconisait pour les visiteurs le port de la blouse et du masque, leur enjoignait de se laver les mains en arrivant et leur interdisait d'introduire des fruits et des légumes crus dans la chambre, de manière à ne pas tuer leurs êtres chers plus tôt qu'il n'était absolument nécessaire, par accident.

C'est un tango.

Nous étions en train de la répéter dans l'idée de la chanter à l'infirmière. Rubinstein venait d'interrompre la répétition pour me raconter une blague :

— Une bonne sœur marche dans la rue quand, soudain, un mec surgit d'une ruelle adjacente et lui saute dessus. Il lui enfonce son genou dans l'estomac, la redresse d'un crochet au menton, puis la fait tomber d'un direct à la face. Il la ramasse en agrippant à deux mains le plastron de sa robe et la reprécipite contre le sol, lui assène un coup de karaté qui lui brise la nuque, puis lui saute à pieds joints sur la tête. Elle gît sur le trottoir, ensanglantée, et, debout près d'elle, les deux mains sur les hanches, il laisse tomber : « Tu me déçois, Batman ! »

L'infirmière ne comprenait pas pourquoi on se marrait tellement quand elle s'est amenée avec un nouveau sachet de moelle osseuse. Elle a engueulé Rubinstein parce qu'il avait baissé son masque pour faire les mimiques. Quand elle est ressortie, Rubinstein a agité la main devant son visage comme un éventail, en disant : « Ça sent les olives noires. »

Ce fut une révélation. Petite épiphanie olfactive dans la cytopénie. Jamais il ne s'en serait rendu compte s'il avait gardé son masque.

Ça, c'était à New York. Maintenant, je suis au Texas. Ma dernière chance. Il est ici, Rubinstein. Le nom de la substance qui me perfuse le bras est « antinéoplastine » ; fabriquée à l'origine à partir d'urine de chameau, mais désormais on se sert d'un produit de synthèse. Va savoir pourquoi l'odeur persiste. On fabrique l'antinéoplastine ici même, à Houston, dans cette clinique qui pratique un traitement « différent » des cancers, avec l'odeur des magnolias dans la poussière texane tout autour, et ces fauteuils de skaï sur lesquels seuls les cas de la dernière chance viennent s'asseoir, un bras tendu dans lequel entre un tube, et la télé dans un coin, et *La Roue de la fortune* ; s'asseoir et prier.

Je demande :

— T'as vu Bud ?

— Je l'ai eu au téléphone la semaine dernière, dit Rubinstein. Avant de quitter Paris. Robert et moi on l'a appelé ensemble. Il paraît qu'aux dernières nouvelles il donne des coups de poing dans les paquets de chips pour les rendre concaves et convexes de manière à les ranger plus facilement sur un rayon de sa supérette. « Concaténation des chips », il appelle ça. Je pense qu'il a peut-être mis le doigt sur quelque chose.

— Si tu l'as de nouveau, dis-lui bonjour de ma part, je dis, en ajustant le tube qui m'entre dans le bras. Avant que tout soit fini, j'aimerais clarifier les choses avec lui. Lui en parler. L'histoire du grille-pain. Mais pas tout de suite.

J'ai supprimé des gens depuis que j'ai commencé à

mourir, réduit mon cercle. Même Jane a du mal à passer. Je n'arrive plus à supporter les voix — les voix polies qui ne savent pas quoi dire, les grandes gueules qui ne savent pas quoi dire. Tout le monde. Il n'a jamais été facile de me parler, je crois le comprendre — l'espèce d'agressivité que j'ai manifestée pendant si longtemps, Jane m'a aidé à m'en débarrasser, mais on ne peut jamais être sûr. Et c'est trop de travail aujourd'hui. Je n'arrive pas à mettre les gens à l'aise et à mourir en même temps.

— Combien de temps tu peux rester ?

— Je peux rester, dit Rubinstein. Autrement dit, je n'ai aucune obligation urgente. J'ai tout mon temps. Congé de maladie. Tu sais, Treese, même les yuppies prennent des congés de maladie. La vraie question, c'est plutôt de savoir combien de temps tu pourras me supporter. Elle revient quand, Jane ?

— Dans trois ou quatre jours. Tout ce que j'espère, c'est qu'elle assure, à Manhattan. Faut bien que quelqu'un fasse tourner la boutique. Ça coûte cher, la pisse de chameau. Et la Sécu nous a ri au nez.

— C'est une salope, la Sécu.

— Oui.

— Elle tient le coup ?

— C'est une sainte.

C'est vrai, Jane est une sainte.

— La manne céleste, je dis à Rubinstein. Vraiment. La vraie manne. À quand remonte ta dernière manne digne de ce nom ? On trouve plus de bonne manne, aujourd'hui, avec des cuisses comme celles de Jane...

— Est-ce qu'elle est la meilleure chose qui te soit jamais arrivée ?

Je fais oui de la tête.

— Je ne dis pas ça seulement parce que je suis en train de mourir. Je le disais déjà avant.

Je suis en train de mourir. Ça a commencé il y a trois ans avec ce poids dans ma poitrine ; j'avais du mal à respirer. Un de ces rhumes dont on a l'impression qu'on n'arrive pas à se débarrasser, comme les gens en ont parfois, me suis-je dit alors. Mais j'avais des doutes. Quand j'ai vu qu'il n'y avait rien à faire, je me suis mis à imaginer le pire scénario possible : j'avais peut-être la tuberculose.

Mais non.

Ma tumeur grossit sous mon cœur. Le cœur que Jane a réveillé quand nous nous sommes connus, il y a huit ans. Il dormait profondément sous le nuage noir dont je l'avais recouvert, à l'intérieur de sa coquille, à l'intérieur de moi, à l'ombre de la triste figure que j'arborais, accrochée sur mes épaules par les sarcasmes, depuis toujours. Pour elle, il s'agissait d'une guerre d'usure. Affamer l'amertume en refusant de l'écouter, en faire l'arbre qui s'abat dans la forêt sans que nul ne l'entende. Elle prenait ce que je disais à tous les coups et me le redisait autrement, sans jamais réagir quand je devenais affreux.

— Cette Jane, tout de même..., dit Rubinstein. Elle produit une sacrée impression sur le jury. La plupart des enragés finissent par perdre le tranchant de leur intelligence quand la rage les abandonne. Grâce à elle, ça ne t'est pas arrivé.

Il est bien placé pour le savoir. Nous avons été deux jeunes nihilistes ensemble. On s'était connus à la maternelle en même temps que le reste de la bande, mais, dans nos premières années de lycée, on s'est beaucoup rapprochés, lui et moi. En terminale, on s'est mis à lire des trucs — Nietszche d'un côté, Descartes de l'autre. J'avais des lits jumeaux chez moi, dans ma chambre, et nous y avons passé bien des heures après les cours et pendant les fins de semaine, étendus chacun sur le sien, les yeux fixés sur le plafond, à tout démolir. Tous les grands machins. Pour finir, Rubinstein disait qu'il devait rentrer chez lui pour s'acquitter d'un certain nombre de corvées. Des années plus tard il m'a avoué qu'il rentrait pour regarder la télévision. Pour s'aérer, qu'il a dit, la télévision pour s'aérer. Je lui en ai voulu. Et je lui en ai voulu de me l'avoir dit.

Ma tumeur grossit sous mon cœur. C'est un lymphome à grandes cellules.

— Je ne supporte plus cette odeur, je dis. Ça me met de mauvaise humeur. Il n'existe donc aucun traitement « différent » du cancer qui ait l'odeur du pain chaud ?

— Ça m'emmerde de t'apprendre ça alors que tu es en train de mourir, tu sais, dit Rubinstein, mais c'est une odeur en boîte. C'est Robert qui me l'a dit quand j'étais là-bas, en France, il m'a fait voir l'article. Odeur de croissant en conserve. On s'en sert pour attirer les touristes.

— Non...

— Si.

J'approuve de la tête.

— Une idée à cent millions de dollars.

— Pisse de chameau, dit Rubinstein. Concaténation de chips...

Un jour, désespéré, et de toute la force dont je disposais à cet instant-là, j'ai balancé le *Guide des traitements différents du cancer* à travers la vitre, fou de chagrin. J'ai manqué le visage de Jane d'un centimètre. Je regrette tout. Je suis en enfer de toute manière. Rentré de l'hôpital, la peau sur les os, et la douleur et les nausées, et la colère et l'humiliation et la honte, et l'extraction de ma moelle et la réinjection de ma moelle, et les choses que personne ne veut dire, les euphémismes médicaux préfabriqués et les médecins pressés. Ils m'ont dit que ça s'annonçait tellement bien. Le lendemain j'étais mort. Comment peut-on choisir son unique dernière chance en sachant qu'en cas d'erreur on est sûr de mourir bientôt et qu'en faisant le bon choix on est presque sûr de mourir bientôt ?

Je dis :

— Tu crois que ce serait plus drôle en disant : « Une bonne sœur, avec sa robe, sa cornette et tout, marche dans la rue... » ? Pour qu'on comprenne mieux que les vêtements de la religieuse lui donnent l'allure de Batman...

Rubinstein s'abîme dans une profonde méditation.

Je me rends compte que le sachet de ma perf est vide.

— J'ai fini, je dis. Demande l'addition, on s'en va.

Je désentortille mes tubes. Rubinstein se lève, va chercher l'infirmière.

Les idées à cent millions de dollars ont commencé à la fac — on avait des heures et des heures à tuer, dans nos piaules. Notre première idée fut un nouvel antibiotique, la Bubbamycine, destiné au marché des copocléphiles et de l'air en boîte. *Bubbamyceh* veut dire conte de bonne femme, en yiddish. C'est une de ces expressions avec lesquelles tous les juifs grandissent contre leur volonté, et notre idée était de lancer sur le marché une boîte de bouillon de poule sous un conditionnement pharmaceutique, incluant une notice sur l'histoire de sa découverte (dans les laboratoires du tout nouveau Complexe de persécution de l'hôpital du Mont-Sinaï) ainsi, bien entendu, qu'une liste d'effets secondaires (culpabilité, etc.). Une idée à cent millions de dollars. Il y eut ensuite le *Kipyjama*, kippa de styliste destinée au coucher du judaïsme moderne, réalisée en pilou avec un petit pan rabattable maintenu par des boutons. On n'est jamais allés plus loin avec aucune d'entre elles.

Les gens dans cette salle ont l'allure de tous les gens que j'ai vus dans toutes les salles d'attente de tous les hôpitaux, de toutes les cliniques et de tous les cabinets médicaux depuis tant de mois désormais, d'années, assis sur les canapés et les fauteuils, blottis avec leur famille, le visage tiré par l'inquiétude au-dessus des tables basses couvertes de magazines tristes, destinés à détourner leur attention de leur propre condition par la lecture des détails d'autres existences qui, aussi prestigieuses ou tragiques qu'elles soient, ne font jamais que tout rendre pire encore. Les sourires des modèles deviennent ceux du démon quand on pourrit par l'intérieur. Leur seule vue suffit à me glacer le sang.

Rubinstein revient. J'ôte moi-même l'aiguille de mon bras.

— On se casse, je dis.

On traverse le hall. Au début, Rubinstein marche trop vite pour moi, mais il s'arrête brusquement, attend que je le rattrape. Je lui prends le bras.

— Quand tu crois qu'on aura la grande engueulade ? il demande.

— Quelle engueulade ?

— L'engueulade inévitable. Au cours de laquelle, sous l'effet du désespoir, tu me tombes soudain sur le poil pour me traiter de frimeur en disant que si j'ai tout lâché pour venir ici et rester avec toi, c'est seulement pour me donner des airs de héros. Moi, ça m'enrage et je me mets à vociférer : « Pourquoi tu ne te tues pas tout de suite, alors ? Ça t'évitera d'avoir à supporter les salauds dans mon genre qui ne pensent qu'à prendre des poses avantageuses. Tiens, colle-toi le flingue dans la bouche, comme tu as toujours dit que tu le ferais sans jamais avoir le courage de le faire ! Pourquoi tu l'as pas fait la semaine dernière, ça m'aurait économisé le billet d'avion ! » L'engueulade à la fin de laquelle on se tombe dans les bras.

— Ah oui, je dis, cette engueulade-là. Mardi, ça t'irait ?

Rubinstein marche exactement à la même vitesse que moi, son coude à un centimètre du mien. Il me connaît, sait quand il faut m'offrir son bras et quand il ne faut pas. Je ne lui dis pas à quel point je lui en suis reconnaissant, ce que cela signifie pour moi. Je ne saurais pas comment le lui dire.

Rubinstein. Un jour qu'on déjeunait au restaurant, à New York, un garçon a trébuché et lui a renversé toute une salade du chef sur le dos. Sa seule réaction a été de dire : « Très rafraîchissant ! »

— Allons bouffer, je dis. Il y a un pain de veau, Jane et moi l'avons découvert dans une gargote à deux pas de l'avenue principale, entre la clinique et la baraque où on nous a logés. Avec juste une pointe de coriandre, et puis la croûte est dorée.

— Tu pourras ? dit Rubinstein.

Une fois dans la voiture, il boucle sa ceinture, puis tourne la tête vers moi, voit que je n'ai pas bouclé la mienne.

C'était un pacte qu'on avait au lycée : tout le monde bouclait sa ceinture, ou alors personne. L'idée, c'était que si l'un d'entre nous mourait, on préférait tous mourir. C'était comme ça à l'époque.

Pour finir, je boucle ma ceinture.

— Je le fais pour toi, je dis. Tout bien considéré. Va tout droit.

Les rues de Houston nous sont étrangères à l'un comme à l'autre. D'ailleurs, ça n'a pas d'importance. Encore une chose qui n'a pas d'importance, d'ailleurs, désormais. Il y a un silence. Pour le remplir, Rubinstein dit que nous sommes devenus snobs, qu'on se soucie de trucs de luxe comme la bouffe et le vin, aussi moches que le pire des yuppies.

— C'est une gargote, je lui dis.

— On s'encanaille, il dit. C'est encore pire.

— A gauche, là. Voilà, c'est ici.

On se range, on entre. On commande le pain de veau.

Rubinstein me regarde avec un demi-sourire.

— Alors, dit-il, à quoi tu réfléchis ces derniers temps ?

C'est ce qu'on se disait au bahut, au lieu de « Quoi de neuf ? » ou « Comment va ? » une façon d'arriver directement à l'essentiel.

— C'est drôle que tu me demandes ça, je dis. J'attendais, justement.

Un doigt brandi pour le faire attendre et ménager mes effets, je me penche, plonge la main dans le sac posé à côté de moi, tâtonne au voisinage de mon flacon de secours de pisse de chameau et en retire les deux longueurs de cordon noir tressé que j'ai coupé sur un sac Bergdorff Goodman. Je trouve le rouleau de ruban adhésif que j'ai apporté pour l'occasion, en déchire deux morceaux que j'ajuste à l'extrémité de chacune des tresses, puis je me redresse, appliquant d'une tape simultanée une tresse à chacune de mes tempes, le cordon pendant devant mes oreilles.

— *Payes portatives* ! je dis. *Payes portatives. Pour le juif hassidique qui s'éveille en nous chaque fin de semaine.*

Rubinstein me regarde fixement, sa bouche s'ouvre un peu, ébauchant un sourire.

— Lavables, j'ajoute. Faciles à emporter dans un sac. Aucun test sur des animaux vivants. Qu'est-ce que t'en dis ?

Il approuve de la tête.

— Une idée à cent millions de dollars.

— On trouvera de la place dans le catalogue ? je demande. Peut-être dans la rubrique des accessoires judaïques, à côté des phylactères auto-adhésifs à ruban de velcro.

— Tout à fait.

Nous nous regardons. Nous sourions comme nous sourions quand nous nous regardons. Le garçon arrive avec le pain de veau.

Rubinstein réorganise le contenu de son assiette dans l'ordre où il va manger, dans le sens des aiguilles d'une montre, conformément à ce qui est le moins bon à manger froid. J'analyse ma purée de pommes de terre.

Elle est d'une consistance exactement assez épaisse pour être de la vraie purée. Je la creuse d'un lac pour y mettre la sauce. Je sais bien que rien n'aura besoin de sel.

— C'est délicieux, dit Rubinstein.

Nous mastiquons respectueusement, les yeux clos.

Le fracas lui fait rouvrir tout grand les yeux. Mon assiette a explosé en un millier d'éclats, des fragments volent à travers le restaurant comme des dents, rebondissant sur le sol là où j'ai précipité l'assiette de toutes mes forces, hurlant à pleins poumons, puis je m'effondre. La violence m'a rejeté en arrière sur la banquette. Ma main gauche dégoutte de quelque chose qui ressemble à du sang et à de la sauce. Elle est étalée sur la table. Mes doigts agrippent le formica, s'y enfoncent, tentent de s'y enfoncer, les ongles pliant et se brisant contre la surface comme un parapluie dans la bourrasque. Je n'arrive pas à détacher les yeux de ma main. Je la connais, mais j'ai oublié son nom. L'extrémité des doigts est d'une blancheur étrange, que le sang a désertée. Je tremble sans pouvoir m'arrêter. La sueur dégouline le long de ma joue que je mords à l'intérieur de ma bouche. Je sens un morceau de ma joue se détacher sous mes dents, les muscles de mon visage ouvrent et ferment mes yeux. Cela résonne dans ma tête. Quelqu'un hurle :

— J'en sais rien si c'est délicieux ! Je veux pouvoir dire que c'est délicieux !

Les pièces de mon anatomie à l'intérieur des frontières de cette table de restaurant. Je suis en train d'exploser. Il y a quelque chose qui tinte à l'intérieur de ma poitrine, qui tinte comme une cloche. Je le vois maintenant, c'est une casserole, la queue tourne à chacun de mes mouvements, s'enfonçant vers le haut en direction de ma gorge. Vers le haut, elle m'étouffe, se colle au revêtement de ma trachée. Il faut que je m'en débarrasse. Il faut tout tenter. Il faut la déloger. Je me mets à me marteler la poitrine dans l'espoir qu'à l'intérieur tout va retrouver sa place, la place que ça occupait avant, comme j'étais avant.

— J'en sais rien si c'est délicieux !

Je regarde dans la casserole où autrefois il n'y avait rien et où il y a maintenant quelque chose, dont les vrilles envahissent tous les tissus voisins, s'y entremêlent, les entourent, s'y enfoncent. Sous mon cœur. C'est tellement devenu une partie de moi-même que je ne me rappelle plus comment ça faisait de ne pas l'avoir là. Je dois faire appel à mon imagination.

Je fais appel à mon imagination et je me martèle la poitrine, je la bats de toutes mes forces. Mes côtes se brisent.

— J'en sais rien, si c'est délicieux ! je hurle. J'ai pas de goût ! Je suis déjà mort ! Putain !

Je me tords sur la banquette, ma tête cogne contre

le rebord de la table chaque fois que je roule d'un côté, puis de l'autre. Je ne peux pas m'arrêter. Tout le monde me regarde dans ce restaurant. Je suis humilié. Je ne peux pas m'arrêter.

Mon haleine s'échappe par mon nez. Je respire par la fente de mes yeux. Je les ferme de toutes mes forces, et l'air s'y glisse quand même, en sifflant. Le bruit est intolérable — un bruit ridicule pour quelqu'un comme moi, qui sais des choses que les gens ne savent pas, qui ai lu Nietszche. Mes yeux sifflent, mes yeux font un bruit de pet, mon souffle s'échappe, et je me vide, là, sur la banquette.

— Treese...

Rubinstein se penche en avant, courbé par-dessus la table, vers moi. Il tend les mains.

Je ramène les genoux contre ma poitrine pour barrer la route à mes mains, faire cesser leur martèlement. Je veux protéger ma tumeur. Elle est triste. Tout le monde essaie de la tuer. Ils ne savent pas que ce n'est pas une chose venue d'ailleurs — c'est moi, c'est venu de moi, c'est à moi. Je l'ai fabriquée. Je ramène les genoux contre ma poitrine pour la tenir au chaud. Nous mourrons ensemble, maintenant, l'une à l'intérieur de l'autre. Comme des gens qui font l'amour.

— Treese...

Rubinstein se penche sur moi. Il est grimpé sur la

table, agenouillé dessus, les mains tendues. Il se penche encore, tente de tenir ma tête. Il me regarde droit dans les yeux. Je les lui ferme au nez.

— Arrête, il dit. Ne fais pas ça, Treese.

Je le hais. C'est un frimeur. S'il a tout lâché pour venir ici et rester avec moi, c'est seulement pour se donner des airs de héros. Je le hais les yeux fermés.

Je garde les yeux fermés. Ça dure un certain temps.

J'ouvre les yeux.

Je tente de me lever mais je n'y arrive pas. Rubinstein descend de la table et passe son bras sous mon dos pour me hisser. Je suis debout. Je me mets à lui raconter la blague de Batman. Je lui vomis dessus, partout. Ça dégouline le long de son dos, sous le col de sa chemise, sur son chandail. Il y a du mouvement, des gens dans le restaurant, dégoûtés. Rubinstein rit.

— Très rafraîchissant, il dit.

Et il me couvre les oreilles avec les mains pour que je n'entende pas les autres. Je vomis de nouveau.

Je me laisse aller en arrière. Quand on s'est vidé, on le sent. Je me suis vidé. Rubinstein me maintient immobile, un moment, mais je sens que je suis debout. Je ne sais pas comment il sait qu'il faut poser sa main au creux de mes reins, que c'est juste là où il faut. Il cherche dans sa poche, en tire un billet qu'il jette tout froissé sur la table, puis il m'emporte.

De retour à la baraque qu'ils m'ont trouvée, je vais dans la chambre, m'assieds au bord du lit. Rubinstein farfouille au salon. Je l'écoute, ses mouvements — froissements, puis le silence. Au bout d'un moment il entre dans la chambre, va au placard, cherche quelque chose pour se changer, prend une chemise sans demander. Il la brandit.

— Ça t'ira à ravir, je dis.

Je me laisse aller à la renverse en travers du lit, tente lentement de pivoter dans le sens de la longueur, jette un coup d'œil au tas de notices et de prospectus sur l'antinéoplastine éparpillés sur l'autre lit. Il y a des choses plus importantes pour l'instant : je m'arrange pour regonfler un oreiller. Rubinstein est debout sur le seuil, silhouette à mes yeux, jouant avec sa chemise. La lumière du salon entre de biais, découpant des lignes sur le mur sombre. J'ai eu un ami qui pouvait dire l'heure sans regarder sa montre.

J'essaie de parler mais rien ne sort. Je m'éclaircis la gorge.

— A quoi t'as réfléchi, ces derniers temps ? je demande.

Rubinstein ne répond pas, semble trop occupé à boutonner ses poignets. Il regarde fixement ses poignets. Je me rends compte qu'ils sont boutonnés depuis longtemps.

— Je savais que tu allais me demander ça, il dit. Mais je n'ai rien à dire.

» La semaine dernière, j'étais à Manhattan, dans le Lower East Side, pour une réunion. Mais à l'heure du déjeuner, j'ai pas pu me résoudre à manger avec les autres. Je leur ai dit qu'il fallait que je fasse réparer mes chaussures. Je suis entré dans le premier restau venu et j'ai commandé des macaronis au fromage. Je ne sais pas pourquoi.

» A une table, à l'autre bout de la salle, il y avait un groupe de types de cinquante-cinq, soixante ans qui bouffaient ensemble. Je n'aurais rien pu dire d'eux, ils étaient complètement anonymes, rien de caractéristique. Sauf une chose : je voyais bien que c'étaient des vieux amis. Je ne sais pas comment — je n'entendais pas vraiment ce qu'ils disaient — mais je le voyais. Par moments ils riaient, parlaient sérieusement par moments ; ils parlaient en mangeant et en fumant. C'était évident.

» Bien sûr, j'ai pensé à nous. Toi, seul ici. J'ai sorti un stylo pour prendre des notes. Pour pouvoir te le raconter quand je viendrais. Quand tu me le demanderais. Mais tout ce que j'allais écrire semblait idiot. J'ai dit des trucs à haute voix et ça avait l'air idiot.

» Ce à quoi j'ai réfléchi ces derniers temps, c'est que

je ne sais pas comment te dire ce à quoi j'ai réfléchi ces derniers temps, depuis que tu es malade. »

Je pleure un petit moment. Étendu là, je pleure. Puis je m'arrête.

J'écoute ma respiration. Je sais que Rubinstein écoute ma respiration aussi, se demande si je dors. Je regarde sa silhouette tandis qu'il gagne l'autre lit jumeau, s'assied. Quand il s'allonge, le bruit est le bruit que fait le costume d'un père, il fixe les yeux au plafond. Et quand il parle, c'est juste assez fort pour que je l'entende si je ne dors pas, assez doucement pour me laisser dormir.

— On peut le mettre dans le catalogue, il dit, doucement, comme pour lui-même. A la suite de la *Bubbamycine*. On peut acheter le cordon en rouleau. Je découperai le cordon et toi le ruban adhésif. Et puis on changera. On commencera par en faire une centaine et on les fera circuler pour voir si ça marche.

Sa respiration devient irrégulière.

— Une idée à cent millions de dollars.

Sa respiration est saccadée. Elle se fait par secousses. J'écoute très attentivement mais je ne peux pas dire s'il rit ou s'il pleure.

C'était mieux avant

J'aurais dû acheter l'assurance.

Il est vrai que les choses se font différemment à Paris — on ne vend pas d'assurance passager dans des kiosques, dans les aéroports, comme on le fait aux États-Unis. C'est une différence culturelle : en France, on sait ce qu'on trouvera quand on arrive à un kiosque ; en Amérique, on ne sait jamais. Ne jamais savoir, c'est une des choses qui me manquent le plus de l'Amérique.

A Paris, tout le monde sait tout sur tout, ou croit tout savoir, parce que les choses ne changent pas et qu'au bout d'un certain temps on finit par comprendre. Je suis ici depuis onze ans. Je n'ai pas encore compris. Parce que les Français sont pleins de contradictions. Ils se moquent de l'esprit pratique, par exemple, qu'ils jugent débile, manquant d'allant — un type en panne sur le bas-côté, qui a pensé à emporter son triangle de danger en plastique pliant et à le disposer sur le talus cinquante mètres avant sa voiture, est forcément un Allemand. N'empêche, dans les aéroports français, on n'achète pas d'assurance dans des kiosques parce qu'il y a des machines grâce auxquelles on peut souscrire une assurance en payant avec une carte de crédit. C'est très pratique. Et tandis qu'à la fin du XVIIIe siècle les pauvres de France se sont bel et bien soulevés pour renverser les riches, aujourd'hui, si l'on n'est pas assez riche pour posséder une carte de crédit, on meurt en avion sans être assuré.

Comment vais-je expliquer à Bud l'absence de kiosque ? Vingt ans que je maintiens cette tradition : quand je prends l'avion, je souscris une assurance passager et je paie les quelques dollars supplémentaires garantissant une grosse prime dont je désigne Bud comme bénéficiaire. Quand on vivait encore tous à Detroit, c'était Bud qui nous conduisait à l'aéroport. Il attendait pendant qu'on enregistrait, nous accompagnait jusqu'au kiosque, regardait par-dessus notre épaule pendant qu'on remplissait les formulaires, s'assurant qu'on épelait correctement son nom pour éviter les contestations.

Au Metropolitan Airport de Detroit, les kiosques appartiennent aux Mutuelles d'Omaha, compagnie d'assurances connue surtout pour l'émission *Le Royaume sauvage des Mutuelles d'Omaha*, qu'elle parraine à la télévision. Un truc sur les bêtes. Pendant que nous remplissions les formulaires, Bud faisait la conversation à la personne qui se trouvait derrière le comptoir. « Mais vous, vous avez déjà vu un lion de tout près ? » demandait-il, ou encore : « Où est-ce que je peux trouver un short kaki comme ça ? » Nous tendions le formulaire à l'employé, et Bud souriait, se frottait les mains et disait :

— J'espère qu'il va s'écraser, j'espère qu'il va s'écraser, j'espère qu'il va s'écraser...

On s'est connus à la maternelle, Bud et moi, en même temps que Rubinstein, Veronica, Treese et Phillip. Ça remonte aux premiers contrecoups du baby-boom, dans les petites rues bordées d'arbres et de maisons individuelles du nord-ouest de Detroit, dans le Michigan — les décennies de notre existence ponctuées de chiffres ronds, de dix en dix, à partir de 1950, l'année qui vit naître le monde. On était devenus amis à la manière des enfants — à la cantine, devant nos sandwichs et nos verres de lait. Il n'y eut jamais le moindre pacte, pas de serments prononcés, nulle fondation d'une quelconque société secrète. On est simplement devenus amis à la maternelle, et ça ne s'est jamais arrêté.

Je suis écrivain. Ça m'occupe et ça fait bien quand je prends l'avion. Le personnel de cabine me voit faire des corrections sur un manuscrit, s'enquiert de ce que j'écris. Je dis : un roman. Ça les impressionne toujours.

— Peut-être que j'ai lu quelque chose de vous ?

Du temps où je n'avais pas encore été publié, il fallait que je réponde non, que je n'avais encore rien publié.

— Ah, oui, ma sœur écrit des romans comme ça, elle aussi.

Aujourd'hui, j'emporte toujours un exemplaire de mes livres avec moi, je les pose sur la tablette, quatrième de couverture en l'air, montrant la photo-de-l'auteur. Personne ne le remarque.

Je suis surtout publié en France. Mes six romans ont eu du succès. Je me demande parfois si mon traducteur a modifié ce que j'écris, l'a rendu brillant, augmentant mes tirages. Mais c'est bien ma photo sur la quatrième de couverture. Je me reconnaîtrais n'importe où. (Je crois que c'est ma photo.)

Je voyage, j'ai toujours voyagé. Je vais loin et j'y reste longtemps. Mais je reviens. Les gens disent : « Si tu aimes tant tes vieux amis, pourquoi passes-tu ta vie à les quitter ? » Je ne connais pas la réponse à cette question, mais je crois deux choses : je les quitte parce que je sais qu'ils seront toujours là, je le fais parce que je peux le faire; et si je n'ai jamais vraiment coupé le cordon ombilical, il est d'une longueur qui bat tous les records. Et la deuxième chose : j'ai un billet de retour — je le sens, cousu à l'intérieur, quelque part du côté gauche sous les côtes flottantes, contre le poumon, à l'intérieur d'une enveloppe de peau, fermée de sutures provisoires, qui lâchent quand quelque chose tire trop fort. Le vol Air France 004 va à New York. Je l'aime parce qu'il décolle d'Orly, pas de Charles de Gaulle, et atterrit à Newark, pas à Kennedy. Moins de circulation, horaires plus commodes, diminution des effets du décalage. A Newark, je prendrai le vol Continental 168 pour Detroit.

J'ai été le premier à quitter Detroit. J'avais une bonne raison d'en partir le premier : à treize ans, on m'a envoyé en colonie de vacances — j'ai adoré ça, je m'y suis fait de nouveaux amis, je ne voulais plus partir. Alors, le dernier jour, j'ai traîné, pensant ainsi atténuer ma peine. J'ai passé la journée entière en au revoir larmoyants avec tous les autres, à mesure qu'ils partaient.

Désormais, je pars le premier.

A l'aéroport, à Paris, j'ai questionné Juliette sur l'assurance passager, je lui ai expliqué pour les kiosques, lui ai demandé si elle en avait vu, en France. Elle a fait le geste qui signifie dingue. En France, pour faire le geste qui signifie dingue, on appuie l'index contre la tempe et on le fait tourner, alors qu'en Amérique on le fait tourner en l'air, à deux ou trois centimètres de la tempe — c'est une différence culturelle. Quand Juliette le fait, elle ajoute un petit bruit de bouche, un petit bruit de bouche français. C'est des choses comme ça. Ça me tue. Je ne peux pas dire si ça me tue parce que je suis tellement amoureux de Juliette ou si je suis tellement amoureux de Juliette à cause de choses comme ça.

Dire au revoir à Juliette est devenu une habitude, comme tant de trucs horribles qui se perpétuent nécessairement — la mort des amis tués par une maladie contagieuse, l'idée de ne jamais revoir quelqu'un que l'on aime, aller chez le dentiste. Juliette et moi on se dit au revoir vingt ou trente fois pas an. Chaque fois je me demande si je ne la reverrai jamais. C'est une pensée intolérable. Je la combats. Et je perds.

Depuis quelques années maintenant, je fais quelque chose sans pouvoir m'arrêter. J'imagine la mort de Juliette, j'imagine qu'elle meurt. Je la vois. Je joue la scène dans mon imagination : je vais la voir à l'hôpital. Elle lève les yeux sur moi et sourit, comme si c'était une surprise, une surprise merveilleuse que je sois venu. Les choses sont toujours des surprises merveilleuses pour Juliette. Je me plante près de son lit. On se regarde, c'est tout. Il faut que je me morde la lèvre pour retenir mes larmes. Elle s'en aperçoit et fait cette grimace : *C'est quelque chose, non ?* — comme si on venait de lui dire qu'on a vu quelqu'un gober une centaine d'œufs. *Je vais mourir... c'est quelque chose, non ?* On se mord les lèvres pour retenir ses larmes, mais ça ne les retient jamais. Mes entrailles tombent sur le plancher sans un bruit.

Ne jamais revoir Juliette tout d'un coup me rendrait seulement triste à mourir. Le savoir à l'avance me tuerait.

Tout le monde à bord du vol Air France 004 parle français. L'hôtesse s'amène avec de petites cartes à remplir pour l'immigration. « Nationalité française ? » Je suis flatté. J'ai honte d'être américain parfois, mais je suis fier d'être américain et de parler français sans accent.

J'ai un accent, une pointe, mais ce n'est pas l'accent américain. Il faut croire qu'il est charmant quand on l'entend à la radio ou à la télévision, quand je parle de mon dernier roman. Mon dernier roman remonte à quelques années. Les gens me demandent quand je publierai de nouveau, quand ils auront le plaisir de... mais j'affirme qu'il est difficile d'écrire les bras tendus devant soi.

Sur la couverture du magazine de la compagnie aérienne, il y a Lisbonne. Lisbonne, ville de je ne sais quoi. Je feuillette. Detroit est aussi la ville de quelque chose, mais on ne la voit pas sur la couverture des magazines de compagnies aériennes. Les magazines d'armes, peut-être.

Soudain, je tombe sur quelque chose — un truc à découper, inséré entre les pages. C'est un bon de commande pour un sac de voyage dans lequel on peut plier des costumes, avec plein de fermetures à glissière. Une phrase imprimée à côté de la case à remplir m'attire l'œil.

Si je ne suis pas totalement satisfait, je serai intégralement remboursé.

Je l'arrache, le plie en deux, le garde en main. Tout à l'heure, je le mettrai dans ma poche de poitrine. Je sais que, dans les semaines qui suivront, il va voyager entre toutes les poches de mes vêtements, passer d'une poche à une autre chaque matin, après avoir dormi sur le plancher d'une chambre d'hôtel, dans ma chaussure, à côté de mon tube de pommade pour les lèvres, de mes clefs, de mon portefeuille et de ma petite monnaie. Et puis je le jetterai.

L'hôtesse revient, demande si j'ai besoin de quelque chose. Je souris. Elle remarque le bon de commande dans ma main. Elle dit joyeusement :

— Je l'ai, ce sac. Il est très pratique.

— C'est rassurant. C'est bien quand les choses ne déçoivent pas votre attente.

Je sais qu'elle ne comprend pas. Elle sourit quand même, poursuit son chemin dans le couloir, pour demander à tous les passagers s'ils ont besoin de quelque chose. Ils énoncent des marques de soda, quelqu'un demande un oreiller. A bord du vol Air France 004, personne ne dit la vérité. Personne ne dit ce dont il a vraiment besoin. Peut-être qu'ils ne le savent pas.

Ce matin, à Orly, Juliette n'a pas dit grand-chose. Elle m'a accompagné, bizarrement — elle ne le fait jamais, je préfère qu'elle ne le fasse pas. Nos au revoir sont une habitude, mais, ce matin, l'air était si palpable qu'elle m'a suivi spontanément dehors, est montée dans le taxi avec moi. Elle avait l'air d'une somnambule. Je l'ai regardée fixement, à côté de moi. Elle regardait fixement le dossier du siège devant elle, le visage vide, comme un beau lac est vide de vagues. Les trois mille choses à dire qui me sont venues à l'esprit sonnaient toutes faux. Je n'ai rien dit. Rien n'est plus bête que la vérité quand ça semble bête de la dire.

C'est quand on est arrivés à la porte d'embarquement, près des détecteurs à rayon x, que Juliette s'est mise à pleurer, le visage dépourvu d'expression derrière une larme qui tombait. Je n'ai jamais eu de nœud dans l'estomac comme ce matin, et pourtant, j'en ai eu, des nœuds dans l'estomac. J'ai voulu la prendre dans mes bras et elle m'a repoussé, est restée une minute entière à regarder le sol. Puis elle s'est plaquée contre ma poitrine. Juliette déteste les effusions en public. Il n'y avait personne à se bousculer tout autour de nous. J'ai failli souhaiter le contraire.

Je l'ai laissée avec à la main l'enveloppe que je lui avais donnée à poster — un manuscrit avec des mots dessus —, elle la tenait comme un animal dans sa main. Je savais qu'après mon départ elle la mettrait dans son sac, se demandant où il valait mieux la placer, lui ménageant un espace entre deux autres trucs, l'y glissant, fermant son sac, puis l'ouvrant de nouveau pour s'assurer qu'il est fermé.

Quand j'arriverai à Detroit, je me promènerai dans notre vieux quartier en imaginant ce que ce serait d'y vivre de nouveau, tous ensemble de nouveau. Parce que, tout le monde a beau dire toujours que c'était mieux avant, c'était mieux avant. Et que, même si je suis, même si les autres sont, en somme, pas trop mécontents de la vie que nous menons, et malgré mon amour pour Juliette, il y a un bout de temps maintenant que je me balade les bras tendus devant moi. Pas raides comme ceux de quelqu'un qui court avec un ballon, mais comme si je cherchais à maintenir quelque chose à distance. J'ai l'impression que, si je baisse les bras, je tomberai en tas à mes pieds, comme la cendre d'une cigarette. Il n'y a rien devant moi. Je ne cours pas en tenant un ballon. Je me balade les bras tendus devant moi. Je ne sais pas quoi faire d'autre.

Qui défait les ourlets ?

— Excusez-moi, je n'ai pas compris, me dit l'hôtesse.

— Vous m'avez demandé : « Fumeur ou non fumeur ? », j'ai répondu « grand fumeur », c'est tout, ce n'est qu'une...

— Excusez-moi, je ne comprends pas.

Elle porte un grand calepin, elle place les gens, contrariée.

Il y a foule près de la porte. Et tout est en retard. Malgré la mauvaise critique parue ce mois-ci dans *New York Magazine*, les affaires marchent bien. C'est le bouche à oreille qui fait les restaus à New York. Et le bouche à oreille fonctionne bien chez les gens qui s'habillent comme ça. Je jette un œil vers le bar. Les gens échangent des compliments de saison. Je serais bien incapable de dire qui est sarcastique et qui ne l'est pas.

Je me suis mise à bosser pour la boîte il y a deux ans et j'ai acheté ces fringues. Ce blazer et cette jupe. Il y a quelque temps, après une réunion qui s'est poursuivie tard au Helmsley Palace, j'ai oublié le blazer sur le dossier d'un fauteuil Louis XV pendant toute la nuit — maintenant, on dirait, j'ai un lipome de l'épaule.

— Non fumeur, ce serait parfait, je dis. Nous serons deux.

— Vous êtes tous là?

— Un sur deux.

L'hôtesse piaffe comme un cheval de course, dressée sur la pointe des pieds. Elle porte ces bas, là. J'en ai porté des comme ça, moi aussi — Charlie adorait ça. Je les ai largués quand il m'a larguée. J'ai voulu les refiler à une SDF de la 63e Rue, mais elle non plus n'a pas compris.

Il y a un mec au bar qui me dévisage avec la nuque, il n'ose pas se retourner. Il a envie de me regarder, mais il a peur de se faire accuser de harcèlement sexuel. Il n'a pas le courage de ses convictions. Il ne sait pas que la semaine dernière un type m'a abordée dans la rue en disant : « Quand vous avez tourné la tête à l'instant, vos cheveux ont volé sur votre épaule comme un cerf-volant blond », avant de s'éloigner. Je lui ai crié d'attendre, mais il est parti. Ça m'a vexée. J'avais quelque chose à lui demander.

— Vous avez dit fumeur, c'est ça ?

— Ce que vous voudrez.

Tom s'amène. Le bisou sur la joue. Le regard droit, simple, honnête, à toute heure. La cohérence.

— C'est la foule, il dit. Je t'ai fait attendre longtemps ?

Tom a eu des réunions. Il sent trois eaux de Cologne.

— Par ici, dit l'hôtesse.

Et l'accrochage de la gabardine, et l'installation à la table. Un garçon qui passait s'arrête pour tenir ma chaise. Je tends la main et il me fait un baise-main — New York, je vous dis. À côté de nous, un couple en tenue de soirée. L'homme est en train d'expliquer à sa cavalière le fonctionnement d'un nouveau radiateur qui utilise moitié moins d'énergie.

Tom dit :

— Quelle journée ! Vite, une bière !

— Plutôt du vin ?

— Du vin ? Bah, si tu veux.

— Non. Prends une bière si tu en as envie.

— Non, je vais boire du vin. Je comptais prendre les côtes d'agneau, d'ailleurs. Mais quel vin ? Je ne suis pas sûr de pouvoir... enfin, j'ai pas très envie de prendre de risques.

— Alors une bière.

— Non, non, du vin. C'est plutôt un endroit à vin, ici, me semble-t-il. Choisis, toi.

— Non, toi. C'est toi qui n'as pas envie de prendre de risques.

— Choisis le vin, Caroline, je ne suis... c'est toi qui connais le vin, non ?

J'ai appris à connaître le vin en France, avec Robert. C'était inévitable. Maintenant, quand je commande un vin français, je peux prononcer son nom avec l'accent. Ça fait snob. J'ai toujours détesté ça chez les autres, et maintenant c'est chez moi. J'ai l'air snob, mais je ne le suis pas. C'est inévitable. Je suis snob.

— Comment tu vas ? Tom demande.

— Je pensais à cette histoire d'ouragan, je dis.

— Quoi ?

— Cette histoire d'ouragan.

— Quelle histoire d'ouragan ?

— On les baptise alternativement d'un prénom masculin ou féminin désormais, alors qu'avant c'était seulement des prénoms féminins. Je me disais qu'il suffirait de leur donner seulement des prénoms épicènes : Dominique, Claude... Quinn.

— Écoute, Caroline...

— Le Temps, le vieux Saturne, Cronos — c'est du sexisme, et du racisme anti-vieux. Et puis, il y a notre Mère Nature — la nature est bonne. Est-ce que ça ne contrebalance pas les ouragans? Ensuite, je me suis dis : tout devrait s'appeler Hortense, tout simplement. Tout. Tout le monde. Tout.

Tom fait vaguement oui de la tête, je l'ennuie, lui aussi. Il change de sujet, essaie de m'entraîner dans ce qui passe pour une conversation chez les êtres humains.

— Ta boîte a acheté quelque chose, aujourd'hui?

— Tu veux savoir si on a lancé des OPA hostiles?

— Oui, je ne sais pas...

J'étudie la carte des vins.

— Château-Hortense 1987, côtes-de-Hortense primeur 1993...

— Caroline...

Notre garçon passe près de la table, celui dont j'espère qu'il est notre garçon. Je lui chuchote :

— Saint-Émilion 1987.

Ce sera un petit secret entre nous.

— C'est quoi, ça? Tom demande.

— C'est quoi, quoi?

— Ce que tu fredonnes.

Je n'ai pas cessé de fredonner aujourd'hui. C'est une chanson, ça remonte au temps où j'étais petite et où mes parents écoutaient encore des disques. Une comédie musicale.

—Je ne sais pas, je dis. C'est quoi?

Tom connaît des tas de vieilles chansons, bien qu'il n'ait pas la tête à ça. Ses parents à lui aussi écoutaient des disques. Je fredonne de nouveau. Les paroles me viennent par bribes.

— *Par un*... je ne sais quoi... *tu rencontreras une inconnue*... *tu*... je ne sais plus quoi...

— C'est « par un beau soir d'été », Tom dit. C'est dans *South Pacific*...

— C'est ça ! je dis. « Par un beau soir d'Hortense ».

— C'est une mauvaise chanson. Ringarde.

— Parfaite, tu veux dire. Comment c'est déjà... *Quand tu l'auras trouvée, ne lâche plus sa main*... je glousse. *Ne lèche plus sa main*...

Tom secoue la tête. Je ris sans pouvoir m'arrêter. « *Ne lèche plus sa main.* »

Un garçon, au fond de la salle, a l'air d'être en train de répéter Macbeth pour une pile de serviettes. Exaspéré, Tom parcourt la salle des yeux. Soupirs, grattage du front. Au bout d'un moment, notre garçon vient prendre la commande. Il demande si nous souhaitons connaître les plats du jour.

— Je sais déjà ce que...

— Oh, oui, j'en serais tout simplement ravie, je dis.

Il a cet air mal rasé, des cheveux noirs brillants, les yeux qui tombent un peu sur le côté. Il sort un adorable petit calepin.

— Ce soir, nous avons les *penne all'arrabiata* accompagnés d'une légère...

— Très bien, c'est ce que je vais prendre, je dis. Et mon comment-dites-vous-déjà prendra les côtes d'agneau, mais certainement pas avec une légère.

Tom fait tomber sur la table un silence comme un filet de gladiateur. Il fait tourner son verre à eau. Le garçon dit :

— Côtes d'agneau certainement pas avec une légère...

Il est gaucher. J'observe la courbure de son poignet pendant qu'il écrit, les poils sur son poignet.

— Quelque chose pour commencer ?

— Quelque chose, je dis.

Ça fait deux ans. Quelque chose pour commencer. Le truc bizarre, c'est que le jour où j'ai commencé à bosser pour la boîte, Charlie a fini par me quitter pour de bon. On pourrait dire que je l'y ai poussé, mais je ne crois pas. Sa nouvelle femme a dix-neuf ans, ce n'est pas le genre de truc auquel on se fait pousser.

— Tu t'es jamais demandé comment les garçons se rappellent qui a commandé quoi quand ils apportent les plats ? je demande à Tom. Surtout quand les convives sont nombreux. Parfois ce n'est même pas celui qui a pris les commandes qui apporte les plats. Et pourtant il les dépose toujours devant la bonne personne. Je crois qu'ils doivent avoir une espèce de langage géométrique qu'ils inscrivent sur la commande, incompréhensible au profane, comme le calcul analytique, ou les indications des chorégraphes sur les partitions. J'y ai réfléchi. Tu réfléchis à ce genre de trucs, toi ?

— Je ne sais pas, Tom dit.

— Tu ne sais pas si tu y réfléchis ?

— Non.

— Et pour commencer ? notre garçon demande.

Je dis :

— Pour commencer, Marx avait raison de définir le vol comme un simple changement de propriétaire, mais, par la suite... le concept a cessé d'être opératoire dans la société industrialisée.

— Ce truc d'aubergine, là, dit Tom.

Charlie s'était toujours bien entendu avec mes amis, c'était quelque chose qui me faisait plaisir. Ce n'est pas facile de s'intégrer à un groupe aussi étroitement lié que celui que nous formons, mais Charlie en avait fait un jeu qui avait fini par devenir un truc entre lui et eux. Ils disaient que Charlie gagnait des badges, comme chez les louveteaux — Pied-Tendre, Lynx, Loup, Ours. Charlie admirait surtout Robert (le côté artiste, et puis parce qu'on avait été ensemble, Robert et moi), ils sont devenus vraiment amis. Le sont encore. Charlie n'est pas resté ami avec moi après m'avoir quittée pour la nana de dix-neuf ans. Il m'a appelée, pourtant, quand il a appris ma promotion. On a parlé musique.

Ça a été dur de briser la carapace de Charlie. Je m'y suis mise comme à un vrai travail, j'ai fait des fissures dans la coquille, j'en ai souffert. J'ai souffert de ce qu'il refusait de me montrer, puis j'ai souffert de ce qu'il me montrait. Seulement il me faisait rire. C'était ça.

Le garçon repart.

— Je mange toujours le truc d'aubergine, dit Tom. J'ai pas envie de prendre de risques. T'as commandé le vin ?

— Oui.

— Je n'ai rien entendu.

— Pourtant, c'est fait.

Le type qui parlait du radiateur à sa femme est en train de dessiner sur la nappe maintenant, de dessiner un radiateur. Il se sert d'un feutre mais la nappe est trop poreuse, résultat, on ne voit que des taches. Sa femme lui dit qu'il a fait des saletés. Il dit qu'elle n'écoute pas.

— Il y a des choses dont nous ne savons rien et qui changent tout, je dis à Tom. Dont nous ne saurons jamais rien. Disons, une lettre qui a été déposée chez le voisin par erreur. Un jour tu te fais renverser par une voiture, tu penses que c'est la faute du conducteur, mais en fait, si tu avais reçu la lettre, tu ne te serais pas fait renverser. Mais tu ne sais même pas que la lettre existe, parce qu'elle a été déposée chez le voisin par erreur.

— Me parle pas de courrier. J'ai envoyé un contrat dans le New Jersey. Il a mis une semaine pour arriver.

Le type qui dessinait un radiateur a les mains couvertes d'encre.

— De toute manière, ce serait tout de même la faute du conducteur, Tom dit. Je ne vois pas ce que le courrier vient faire là-dedans.

Une semaine après notre rencontre, Charlie m'a emmenée chez lui pour me présenter sa grand-mère. Bubbie était très vieille et presque aveugle. Elle écoutait la radio toute la journée. Elle refusait d'écouter toute autre station que WWT Toledo, Ohio, sur laquelle il n'y avait généralement que des parasites. Si quelqu'un lui changeait la station, elle se mettait en rage, même quand il n'y avait que des parasites. Bubbie prétendait qu'elle était capable de distinguer la différence entre les parasites. Charlie disait qu'enfant il avait consacré sa vie à persécuter Bubbie. Il la terrorisait, faisait venir ses amis pour qu'ils changent la station pendant qu'il parlait avec elle. Elle est morte dans sa baignoire. Mes amis taquinaient Charlie à ce sujet, disant qu'ils le soupçonnaient d'avoir assassiné

Bubbie. Le syndrome de Charlie Corday, ils appelaient ça.

Le garçon apporte le hors-d'œuvre, nous mangeons, il emporte les assiettes vides.

— ...et puis il y a eu la réunion avec le client, est en train de dire Tom. Je me suis fait remonter les bretelles par un des vice-présidents parce que j'avais oublié le nom de quelqu'un. Il m'a fallu deux heures au téléphone pour convaincre les gens de Saint-Louis de ne pas changer d'agence. Tu parles d'une journée. Je t'assure.

— Les gens croient que les danseurs n'ont pas le droit de manger de dessert. Qu'ils doivent compter chaque calorie. Pourtant des danseurs, j'en connais quelques-uns — ils boivent du Coca toute la journée. D'ailleurs, avec leurs exercices à la barre, plusieurs heures par jour, et les répétitions, ils doivent tout brûler. Tous les danseurs que je connais s'empiffrent. Comment expliques-tu un si grand malentendu ?

— Tu parles d'une journée.

Brusquement, le garçon est là avec le plat de résistance.

— *Penne all'arrabiata* ?

— Ici.

— Côtelettes ?

— Là.

— Bon appétit.

— Si on remplaçait « amen » par « bon appétit » dans toutes les religions, ce serait quand même plus simple, je dis.

— N'importe quoi, dit Tom.

Je regarde Tom manger. Il mange, quoi, un point c'est tout. Et que je plante ma fourchette dans ma viande, et que je la porte à ma bouche, et que je l'enfourne, et que je mastique. Je cherche dans ses yeux quelque chose qui ait l'air de quelque chose.

Je parcours des yeux la salle. Personne ne fume plus, c'est vrai. Il fut un temps où les restaurants comme celui-ci étaient pleins de fumée à cette heure de la soirée, stratifiée pour donner des paysages, des aubes ou des couchers de soleil, selon l'éclairage, les têtes et les épaules émergeant comme des silhouettes de villes à l'horizon. L'hygiène l'a emporté sur la beauté. Et alors qu'on avait une raison de tousser, on tousse sans raison, désormais. A une table voisine, un client renvoie son steak. Je ne comprends pas pourquoi. En l'entendant faire, je suis écrasée de chagrin.

Tom se lève en disant qu'il doit donner un coup de téléphone.

Mes pensées se précipitent lentement.

Je regarde Tom gagner le téléphone, composer son numéro, inerte. Quelque chose lâche dans son blazer et l'ourlet tombe tout seul de deux ou trois centimètres. Je me demande qui il appelle.

— Tout va bien ?

C'est notre garçon qui passe, il semble sincèrement intéressé. Je le gratifie d'un sourire, regarde son derrière rapetisser à mesure qu'il s'éloigne.

J'écoute le bruit de la salle, je me demande si soudain tout le monde va s'arrêter de parler en même temps. La première fois que j'ai entendu ça arriver, c'était à la cantine de l'école primaire. J'étais assise en face d'un garçon dont j'étais amoureuse. Sam quelque chose.

J'attends que tout le monde cesse de parler. Quand ils se tairont, je hurlerai quelque chose en russe. Un groupe vient d'arriver dans la salle du restaurant, ils restent tous debout à tournicoter autour d'une table pour dix. Je remarque une emmerdeuse qui n'arrête pas de parler, allant d'une personne à l'autre, riant, s'efforçant d'être l'âme de la soirée. Quand tout le monde finit par s'asseoir, elle se retrouve debout. Quelqu'un dit : « Ils ont dû se planter quand on a réservé. » Personne à la table ne lève seulement les yeux. L'emmerdeuse reste debout, interminablement. Elle ne cesse jamais de chercher à être conviviale.

Je ne connais pas un mot de russe. Quelque chose meurt à l'intérieur de moi.

Quand Tom revient, je suis partie.

— Vous en avez encore pour longtemps, madame ? le chauffeur de taxi dit.

— Laissez tourner le compteur, s'il vous plaît.

Des gouttes d'eau pendent des auvents de toile de la 18e Rue comme au bout d'un nez. On est passés devant l'immeuble de mon bureau, en venant. J'ai levé les yeux pour voir si j'avais laissé la lumière allumée et je me suis rendu compte que je ne savais pas quelle fenêtre était la mienne.

L'haleine du chauffeur embue le pare-brise.

— Si vous en avez encore pour très...

— S'il vous plaît...

En définitive, mon dîner avec Tom était réussi, le temps qu'il a duré. Personne n'a renvoyé de plat. Personne n'a eu le cœur brisé au hasard d'un regard.

J'essayais de dire des trucs à Charlie, mais il disait que ce qui compte n'est pas ce qu'on dit mais qui le dit. Il m'appelait *Il Duce*. « Le charisme », il disait. « La vérité, cette connerie. » Il ne voyait pas d'inconvénient à croire des mensonges, il disait. Ce qui le dérangeait, c'était de croire la vérité, étant donné que, même s'il croyait que ce que je disais était vrai, ce que je lui refilais en douce, c'était moi. Et quand je lui demandais s'il préférait que je mente, il disait : « Te fatigue pas.

Comment je le saurais ? » J'ai connu quelqu'un qui disait que les gens ressemblent à ce qu'ils font quand personne ne les regarde. Mais je ne sais pas ce que je fais quand personne ne regarde. Je ne regarde pas non plus.

— Vous en avez encore pour longtemps ?

— Encore un instant. Rien que quelques minutes.

Ne fais pas ça, je me dis. Ne laisse pas les endroits prendre une personnalité, les mauvais souvenirs — des choses que tu ferais des centaines de mètres de détour pour éviter. C'est que des briques et rien d'autre. Je ne suis même pas sûre que Charlie habite encore ici. Il a peut-être déménagé.

— Vous avez fini votre service ou quoi ? je demande au chauffeur de taxi.

— Non. C'est seulement que je commence à m'emmerder.

Je sais qu'il croit qu'il fait le taxi en attendant des jours meilleurs, et que si je lui disais que tout le monde croit ça, il dirait : « Oui, mais moi, c'est vrai. » Et si je lui disais que tout le monde pense que eux c'est vrai, il dirait : « Oui, mais moi, c'est vrai. »

Je croise son regard dans le rétroviseur.

— D'accord, je dis.

Tom est en train de faire la vaisselle quand je rentre, il a passé un torchon dans la ceinture de son pantalon. Un truc qu'il a vu dans un film.

Il ne dit rien, il a l'allure de quelqu'un qui a fini par s'habituer à quelque chose. C'est la troisième fois que je suis partie au milieu d'un repas. Maintenant, il se contente de faire la vaisselle jusqu'à ce que je rentre, ou pas.

— Je t'ai rapporté un morceau de gâteau, il dit, puisque tu as manqué le dessert.

Il l'indique d'un mouvement du menton. C'est posé là, enveloppé dans du papier d'argent, tout triste.

Je m'assieds, ouvre le papier d'argent avec une fourchette, de la main gauche, le tripote. Tom me jette un coup d'œil, voit ce que je fais, secoue la tête et continue à laver la vaisselle.

Je me demande si je peux le manger en exactement cent fourchettées égales, pas une de plus, pas une de moins. Cent fourchettées de la main gauche.

Tom se met à essuyer la vaisselle.

— Tom.

Il va jusqu'à la porte, se tient sur le seuil. Je prends un morceau de gâteau. La pendule de la cuisine n'a jamais fait autant de bruit. Personne ne dit rien. Je fais semblant de compter les fourchettes mais je ne les compte pas. Je regarde les miettes coincées entre les dents.

— *Par un beau soir d'été...*

Tom s'est mis à chanter sur le seuil de la cuisine. Doucement, timidement, les bras écartés.

— *... tu rencontreras une inconnue. Il y aura du monde mais tu ne verras qu'elle. Et tu sauras tout de suite...*

Il chante sans bouger. Au bout d'un moment, il ferme les yeux. Il chante « *lécher sa main* » au lieu de « *lâcher sa main* ».

Il regarde la vaisselle. Il chante la chanson tout entière.

Renforts

L'écriteau sur la porte a l'air d'avoir été tracé par un enfant de six ans. M.F.Y. Il semble encore plus ridicule à côté des deux élégantes plaques chinoises qui l'encadrent, avec leurs caractères de style exotique, en relief, bleus. LIEN PHAT SEAFOOD MARKET. HOP SOO MEATS. Toujours les mêmes qu'ont le fric.

Les bureaux de MOBILIZATION FOR YOUTH (mobilisation pour la jeunesse) ont été prêtés aux services juridiques de la ville de New York à titre provisoire, voilà six ans. Ils installaient là, pour la première fois, à Chinatown, un nouvel avant-poste, une nouvelle statue de la liberté à l'intention de nouvelles masses craintives aspirant à être libres. Et voilà. HOP SOO MEATS possède maintenant la moitié de la rue et les services juridiques n'ont toujours pas les moyens de faire repeindre leur porte.

C'est à l'étage. L'odeur est différente de celle qui règne à l'extérieur — le moisi remplace le poisson. Sur le palier à gauche, une salle d'attente pleine d'Asiatiques, qui attendent. Ils ont un numéro à la main, distribué par ordre d'arrivée, comme chez les glaciers Baskin-Robbins. À droite, derrière un écran de plexiglas à l'épreuve des balles qui a été installé à l'envers, un réceptionniste ghanéen. Il y a trois ans que les services juridiques de la ville de New York essaient de faire remettre l'écran à l'endroit, mais il n'y a pas de budget pour les écrans. Du coup, il reste un petit espace dans un coin pour passer son flingue.

— Je ne comprends pas bien, Mrs. Chin. S'agit-il vraiment d'un problème d'aide sociale ou plutôt d'un avis d'expulsion que vous souhaitez contester ?

Phillip sourit pour essayer de mettre Mrs. Chin à l'aise. Il regarde la jeune femme qui se tient près de la fenêtre. La jeune femme à la chevelure.

— Je ne crois pas que c'est en regardant par la fenêtre d'un air profondément ennuyé que vous aiderez Mrs. Chin, Partita, il dit. Vous voulez bien, hum, traduire, s'il vous plaît ?

Elle porte la minijupe noire de rigueur, fait cliqueter ses ongles sur le rebord métallique de la fenêtre. Ils sont d'une longueur peu ordinaire. Fuchsia. De sa place, Phillip ne peut pas voir l'expression de son visage, mais quelque chose dans son port de tête trahit la mauvaise humeur. Sans compter le soupir tragique qu'elle pousse toutes les dix secondes.

— M'est c'que j'mais.

— S'il vous plaît, Partita, veuillez retirer ce chewing-gum de votre bouche.

— C'est ce que je fais, elle dit. Je vous laissais finir votre...

— Pas contre la fenêtre, s'il vous plaît, Partita. Enveloppez-le dans quelque chose et jetez-le dans la... bon, donnez-le moi.

Partita dépose la boulette dans la main de Phillip — machouillée, humide. Il jette furtivement un coup d'œil d'excuse en direction de Mrs. Chin, tandis qu'il déchire un bout de papier de son bloc et se met à y rouler le chewing-gum — chien battu.

— S'il vous plaît, Partita, il dit, traduisez.

Une heure que ça dure. Phillip est suppliant.

Partita porte un de ces chemisiers — noir, avec des orchidées dessus — de soie, ou de soie artificielle. Elle le porte par-dessus sa jupe, dont il atteint presque l'ourlet. L'idée est de souligner la brièveté de la jupe. Ça marche parfaitement. Phillip rentre la tête entre les clavicules. Partita se met à traduire en chinois ce qu'il vient de dire en anglais. On dirait de l'espagnol. Mrs. Chin regarde Phillip. Il lui adresse un sourire doux comme un mouton.

Dans les piaules, à la fac, on n'en finissait pas de discuter pour savoir si Phillip avait l'air d'un mouton parce qu'il baissait perpétuellement les yeux ou s'il baissait perpétuellement les yeux parce qu'il était doux comme un mouton. Rubinstein, qui partageait la piaule de Phillip pendant la première année, avait refusé de lui adresser la parole pendant un mois tant que Phillip refuserait, lui, de porter des lunettes noires («Ça me donne l'impression de parler à un ouistiti, avait-il dit. Je ne parle pas aux ouistitis»).

A la fac, tout le monde s'était laissé pousser la barbe. Phillip s'était laissé pousser la barbe pour faire comme tout le monde. Contrairement à tout le monde, il a gardé la sienne. Il a gardé la barbe et pris ce boulot.

La barbe et le boulot de Phillip sont les deux choses qui déçoivent le plus ses parents. («Un si joli tableau dans un cadre aussi affreux», d'une part, et «Avec tes diplômes, tu pourrais gagner beaucoup d'argent au lieu de quoi, tu défends des pouilleux pour des nèfles», de l'autre.)

Phillip porte la barbe parce qu'elle fait partie des stigmates des avocats des pauvres, sa caste. Et aussi parce qu'il croit que la barbe compense un peu sa douceur de mouton.

— Mrs. Chin comprend pas, est en train de dire Partita. Elle dit qu'elle comprend pas la différence.

Phillip sort la tête d'entre ses clavicules, lentement.

— La différence entre quoi et quoi ?

Partita dit quelque chose à Mrs. Chin en chinois. Mrs. Chin lui répond.

— Elle dit qu'elle sait pas, Partita dit.

— Quoi ? Phillip dit, innocemment. Elle ne sait pas quoi ?

— Elle sait pas — elle ne sait pas — la différence.

— Entre quoi et quoi ?

— Elle ne sait pas.

Phillip baisse les yeux sur son bureau pour essayer de se concentrer. Il sourit à Mrs. Chin.

— Vous dites que l'aide sociale vous refuse de l'argent, Mrs. Chin. Vous dites que votre propriétaire a entamé une procédure d'expulsion contre vous pour non-paiement du loyer. Vous dites que vous ne pouvez pas payer votre loyer parce que vous n'avez pas assez d'argent. Mais je vois ici que vous êtes au plafond de l'aide sociale — vous touchez le maximum auquel vous avez droit. Ce n'est donc pas un problème d'aide sociale, c'est un conflit entre locataire et propriétaire.

Partita, on ne sait pourquoi, regarde par la fenêtre un homme qui passe, tenant une chaise entre les dents. Phillip le voit de sa place.

— Traduisez, s'il vous plaît, Partita.

— Je ne peux pas.

— Comment ça ?

— Vous avez dit trop. Je ne me rappelle pas.

— C'est la même chose que j'ai déjà dite. Vous l'avez déjà traduite.

— C'est trop.

— Voulez-vous que je répète ?

— Pourquoi ? Vous l'avez déjà dit. Elle vous a entendu la première fois. Elle est pas idiote.

— Mais vous dites qu'elle ne comprend pas.

— Elle comprend ce que vous avez dit. Elle dit qu'elle ne comprend pas la différence.

— La différence entre quoi et quoi ?

— Elle sait pas.

Phillip s'avise tout à trac que le mot de dix lettres correspondant à la définition « Exception au vingt-quatre horizontal » est « diphtongue ». Il a passé tout le trajet en métro depuis Brooklyn ce matin à tenter de le trouver, il a même appelé Bud, à Traverse City, en arrivant au bureau, mais Bud ne savait pas non plus. Ils ont parlé un moment du père de Phillip, mais Phillip ne souhaitait pas s'appesantir là-dessus au téléphone.

— Diphtongue, Phillip dit.

Mrs. Chin regarde Partita pour qu'elle traduise, mais

il y a un drôle de roulement sourd, soudain. Partita a une main sur la hanche et l'autre suspendue au bout de son bras replié. Elle examine ses ongles, regarde Phillip d'un air inquisiteur. C'est seulement quand il est ainsi dévisagé que Phillip se rend compte qu'il est en train de tambouriner le solo de batterie de *Wipe Out* sur son sous-main.

Phillip savait que Partita serait de mauvaise humeur s'il lui demandait de travailler tard, ce soir. Qu'elle sait qu'il a plus besoin d'elle qu'elle de lui. Elle est le Travail, il est la Direction, et un nouveau cahier de doléances est en circulation. « Partita » est le nom d'une forme musicale illustrée par Jean-Sébastien Bach. En demandant des heures sup pour les services juridiques de la ville de New York, ce soir, Phillip se doutait bien du genre de musique qu'il entendrait.

Partita Wong est née au Honduras d'une mère hondurienne et d'un père chinois. L'espagnol a été sa première langue, le chinois la deuxième, et l'anglais la dernière. A l'origine, elle s'était présentée ici comme cliente, Phillip avait réglé son affaire de licenciement en l'embauchant — les personnes trilingues et sachant taper à la machine sont des atouts non négligeables pour les services juridiques de la ville de New York, situés qu'ils sont à la pointe de Chinatown, avec une clientèle d'une grande diversité ethnique. Désormais, elle le tient. Elle le terrorise. Il lui parle avec mille précautions, comme font la plupart des gens terrorisés quand on les tient.

— Mais vous, Partita, vous... hum, vous comprenez ce que j'ai dit? Voyez-vous la différence qui existe entre une affaire d'aide sociale et un conflit propriétaire-locataire?

— Oui.

— Seriez-vous prête — et je vous le demande en toute bonne foi — à l'expliquer pour moi à Mrs. Chin? Je vous jure que ce n'est pas de l'exploitation.

Partita réfléchit, fait oui de la tête, et s'y met. Seulement après avoir théâtralement replié une nouvelle tablette de gomme dans sa bouche, avec la langue.

Phillip est pris d'une soif impérieuse. Il sort en titubant dans l'entrée pour gagner le distributeur d'eau glacée.

Ed est là. Ils travaillent tard le soir, tous les deux, ces derniers temps, pour essayer de prendre de l'avance sur leur programme et de libérer une fin de semaine pour aller skier. Ed connaît Partita. Il l'a vue agir.

— Le truc, lui dit Phillip, c'est que, quoi que je fasse,

j'ai l'air d'un monstre. Dès que je me plains d'elle, elle m'accuse soit de sexisme, soit de racisme, soit de surexploitation. Saddam Hussein est un saint à côté de moi.

— Et pas de harcèlement sexuel ?

— Je t'en prie. Je ne saurais même pas m'y prendre. Je crois bien que je ne lui ai jamais ne fût-ce que serré la main. Ses ongles me font peur. Je n'ose pas la regarder. Ses yeux me font peur. Elle me fait peur. Si elle savait taper à la machine, j'aurais vraiment la trouille.

— Elle ne sait pas taper à la machine ?

— J'en sais rien. J'ai peur de le lui demander. Je tape tout moi-même. Heureusement que j'ai eu miss Porter au lycée.

— Miss Porter ?

Miss Porter était le professeur de dactylographie de Phillip, le premier professeur afro-américain du petit lycée. Aucun être ne fut jamais plus gentil, plus doux que miss Porter, pas même Gandhi, mais elle vivait dans la terreur d'un certain Terence Adilo, un de ces loubards deux fois plus grands que les autres élèves qui avait redoublé si souvent qu'il avait du poil au menton. Il appelait miss Porter « Babouin ». Il vociférait derrière sa machine à écrire : « BABOUIN ! TU LA VEUX, LA BANANE ? » Miss Porter faisait celle qui n'entendait pas. A l'évidence, c'était ça ou éclater en sanglots.

— Terence Adilo est saint François d'Assise à côté de moi, dit Phillip à Ed.

— Qui ?

Mais Phillip a déjà regagné son bureau.

— Alors, Partita, vous avez... ?

— Elle comprend, maintenant.

— Merci.

Phillip sourit à Mrs. Chin. Partita ne bouge pas, elle lui tourne le dos. Phillip se prend à détailler des yeux sa silhouette, s'aperçoit que Mrs. Chin l'a remarqué. Le silence à couper au couteau qui s'ensuit est seulement troublé par les bruits de courses furtives qui viennent de l'intérieur des murs. Mrs. Chin le regarde.

— Souris ? elle dit.

C'est sans doute le seul mot d'anglais qu'elle connaisse.

— Plus gros, il dit.

Comme la plupart des choses dans cette ville, les bureaux de la M.F.Y. des services juridiques semblent sortis tout droit d'un film. Ils se composent de trois bureaux individuels, personnalisés, pleins de photocopies agrandies de dessins d'humoristes de la contre-culture, d'un assortiment de chromos chinois ultra-kitsch, de poignées de porte maintenues en place par du chatterton. Il y a des tracts fixés aux murs mal peints par du ruban adhésif. En fouinant, on finirait par découvrir une porte de bois percée de deux trous. Un client, mécontent de s'entendre dire que son affaire n'était pas plaidable, était revenu avec un couteau, un jour, avait poignardé une assistante sociale, puis percé les deux trous avec le manche de son couteau en essayant d'enfoncer la porte derrière laquelle se terrait l'avocat qui lui avait annoncé la mauvaise nouvelle. Phillip.

Mais la vérité, c'est que Phillip est chez lui, ici. Il prétend que ça lui est passé, mais c'est faux. Il est chez lui ici parce qu'il n'est pas obligé d'y être. Diplômé dans les tout premiers de la fac de droit de Harvard, il aurait pu entrer dans n'importe quelle firme en dictant ses conditions, et, aujourd'hui encore, quinze ans plus tard, on lui offre de temps à autre d'intégrer tel ou tel cabinet qui lui rapporterait deux ou trois fois ce qu'il gagne. Mais il a choisi d'être ici. C'est lui. Curieusement, en dehors de cela, sa vie est plus normale que celle des autres, ses amis.

Il a une épouse et deux enfants. Il a connu Cheryl pendant leur première année de droit, à l'université du Michigan. Ils sont sortis ensemble pendant qu'ils préparaient la licence, puis ont survécu à leurs amours à distance, inévitables du jour où il fut reçu à Harvard. Ce fut Cheryl, d'ailleurs, qui se vit offrir le poste qui les a amenés à New York — un très grand cabinet, spécialisé dans le droit des affaires, cent vingt avocats. Partner, Partner, Partner & Partner. Ils emménagèrent à Brooklyn, eurent Lisa, puis Camille. Cheryl grimpa les échelons. Depuis un mois, c'est devenu Partner, Partner, Partner, Partner & Cheryl. Elle a rasé sa barbe.

— Il est sept heures et demie. Vous m'avez dit je rentre chez moi à sept heures et demie. J'y m'en vais, dit Partita. Vous avez qu'à lui parler chinois. Il est sept heures et demie.

— Il est sept heures vingt-trois, Partita.

— Comment vous le savez? Vous avez pas la montre.

— Je sais l'heure sans avoir à regarder.

— Faut que je boutonne mon manteau. Vous dites je rentre chez moi à sept heures et demie. D'abord je boutonne mon manteau. Après j'y m'en vais.

Soudain, tout à trac, elle adresse à Phillip un sourire très séducteur. Il se sent victime de harcèlement sexuel.

— Bon, vous avez archivé les dépositions? il demande, sur la défensive.

— J'ai pas pu.

— Vous n'avez pas pu ? Mais pour quelle raison ?

— Elles tombent.

— Quoi ?

— Les trous sont cassés. Elles tombent.

Phillip perçoit certes que ce qu'elle dit doit posséder un sens quelconque, mais il serait bien en peine de dire lequel. Il ne voit pas comment un trou peut être cassé. Un trou est un espace vide. Comment casse-t-on un espace vide ?

— Et appelez votre père, elle dit.

— Quoi ?

— Il a laissé un message de l'appeler. Vous avez pas vu ?

— Non. Et d'ailleurs ça n'a rien...

— Il appelle cet après-midi.

— D'accord. Mais les dépositions ?

— Appelez-le.

— Où sont-elles ?

— Elles sont tombées. Les trous sont cassés. J'ai besoin de renforts. Quand on prend le dossier, tout tombe par terre. Faut m'acheter des renforts ou je peux pas archiver.

— Des renforts ?

— C'est votre papa qui vous aime. Appelez-le.

— C'est quoi des renforts ?

— Je décroche le téléphone et toujours il est gentil. Je comprends pas ce qu'il dit — c'est comme la radio quand il y a deux stations l'une sur l'autre. Il appelle quatre fois par jour parce qu'il vous aime. Il pense à vous en Floride. Vous allez jamais le voir. C'est votre famille. C'est tout ce qu'on a, en fin de compte, sa famille. Ma sœur, elle prenait du crack, on l'a ramenée chez nous à Queens, et maintenant ça va. Son ami est en prison. On devrait le griller comme une sardine sur la chaise électrique. Il a aucune famille. Il lui en a fait voir.

A quel moment se met-on le flingue dans la bouche ? pense Phillip. Mrs. Chin le dévisage d'une manière qui est à la fois pleine d'espoir et totalement résignée à l'échec. C'est un sourire penaud, doux comme un mouton.

Partita fait claquer sa langue, debout près de la fenêtre, le regard tourné vers l'extérieur.

— C'est incroyable, elle dit, avec un geste du menton en direction du trottoir. Moi je vous le dis, si jamais je deviens comme ça, j'espère que quelqu'un me tirera une balle dans la tête.

Phillip se soulève un peu sur son fauteuil de bureau, reste un moment collé au morceau de chatterton qui maintient l'accoudoir en place, se démanche le cou pour voir par-delà la chevelure de Partita.

Dans la rue, il y a un homme qui va et vient en traînant les pieds parmi les caisses et les pallettes de HOP SOO MEATS. Tordu, voûté, le visage hérissé d'une barbe d'une semaine comme des touffes d'alfa poussiéreux sur une plage morte. Tout le monde le connaît. Il est là tous les jours, cela fait des années maintenant qu'il est là tous les jours, bredouillant des onomatopées chinoises, figure familière du quartier. Les gens du magasin sont froids mais patients envers lui — ils le repoussent, mais ne l'insultent pas. Respect des ancêtres ou quelque chose d'aussi mystérieux.

— C'est triste, hein? dit Phillip.

— Oui. Sa veste va pas du tout avec son pantalon.

Rubinstein répète sans cesse à Phillip de redescendre sur terre, de trouver un travail digne de ce nom, de gagner du fric, de se raser. En même temps, il envie manifestement l'altruisme de Phillip, que Phillip n'appellerait pas ainsi. Pour lui, c'est seulement ce qu'il fait — avocat des pouilleux. Il ne peut pas changer, pas plus qu'une des rosses qui tirent les fiacres autour de Central Park ne pourrait accéder aux écuries du palais de Buckingham. Chacun sa clientèle. Heureusement, il y a Cheryl. Elle assure la ration de protéines.

Il se dit que son père a raison.

Il ne peut pas se mettre en colère. Ni contre Partita ni contre personne. Aux yeux de Phillip, tout le monde semble avoir toujours une bonne raison.

(« Ben voyons, lui dit Rubinstein. Je ne suis pas d'accord avec votre politique, monsieur Hitler, mais je défendrai jusqu'à la mort votre droit d'exterminer tous les juifs d'Europe de l'Est », mais Phillip lui répond : « La colère, c'était bon pour les années soixante-dix — si quelqu'un vous emmerdait, c'était gratifiant de lui casser le moral. Moi, je vis dans les années quatre-vingt-dix. Je n'ai pas besoin de redescendre sur terre, j'y suis. Seulement je ne peux pas le prouver, voilà. »)

Partita tourne les talons et sort du bureau. Par la porte ouverte du bureau adjacent, Mrs. Chin et Phillip la regardent partir. À l'extrémité du vestibule, elle sort son manteau de la penderie, arrange ses gants, ses boutons.

Elle part sans dire au revoir.

Dans le bruit du silence de New York, les lumières du bureau semblent monter et baisser, comme si des nuages passaient, à l'intérieur, roulant dans leur course.

A New York, le silence n'est jamais complet, l'obscurité n'est jamais complète. Phillip est seul avec Mrs. Chin et les bruits de courses furtives à l'intérieur du mur.

Il pense au fou dans la rue. Il règne une telle confusion. Il y a tant de gens dont la veste et le pantalon sont mal assortis. Tant de gens dont les trous sont cassés.

Mrs. Chin sort un petit paquet de quelque chose de son sac, lequel n'est pas, ô surprise, un de ces sacs chinois — bambou et soie. Plutôt quelque chose qu'elle a acheté avec un code-barres. Le petit paquet de Mrs. Chin est enveloppé de cellophane. On voit tout de suite que c'est un sachet du commerce. Mrs. Chin est mieux équipée qu'elle n'en a l'air.

Elle regarde Phillip qui regarde par la porte jusqu'au fond du vestibule, tandis que les bureaux voisins s'éteignent, l'un après l'autre. Ed s'en va aussi. Il jette un coup d'œil en arrière mais ne dit pas au revoir, ne fait pas un geste. Qu'est-ce qu'il a? Phillip se demande. Il se rend compte que c'est peut-être l'éclairage, qu'Ed ne le voit pas.

Mrs. Chin se penche en avant. Elle tente poliment de voir ce qu'il y a dans les deux cadres, sur le bureau de Phillip. Elle le voit maintenant; ce sont des photos de ses enfants. Elle voit qu'il voit qu'elle les voit.

Il y a quelque chose sur le visage de Mrs. Chin, mais Phillip détourne les yeux.

Avant de se reconvertir dans la teinturerie, le père de Phillip était avocat. Il était entré au barreau juste avant la guerre. Démobilisé, il avait trouvé Detroit en plein boum. L'atmosphère était aux affaires, on s'associait avec les copains d'avant guerre, un truc entre juifs. Avocat, ça pouvait être utile dans la teinturerie ; un client qui perd un bouton et fait un procès.

Les copains d'avant guerre se séparent facilement quand les combats finissent et qu'une bagarre d'un autre genre commence. Phillip ne se rappelle jamais lequel des amis de son père découvrit l'ouverture dans le plan d'occupation des sols ni lequel paya un conseiller municipal pour fermer les yeux, mais tous deux abandonnèrent son père dans la teinturerie quand il refusa de jouer le jeu. C'est comme ça que les centres commerciaux sont apparus. Tous les deux sont riches, aujourd'hui. Riches — et morts, depuis deux ans. Le père de Phillip vit encore, mais il n'a pas d'amis. Il n'en a plus voulu après ce coup-là. Pas même la mère de Phillip.

Son père ne pouvait pas avoir la maladie d'Alzheimer comme tout le monde. Les accès ont commencé soudain il y a quatre ans. La mère de Phillip l'avait entendu appeler depuis la chambre à coucher, où il s'habillait :

— Celia ! Je ne peux pas passer les jambes dans cette saloperie !

En entrant, elle l'avait trouvé tentant d'enfiler le pied dans une manche de chemise.

Depuis, ça change tout le temps. Il y a eu une période pendant laquelle il était comme un enfant, un contemporain de Lisa, un animal domestique, docile. Sauf que les animaux domestiques ne fondent pas en larmes quand ils se rendent compte qu'ils sont des animaux domestiques. Phillip n'arrive pas à oublier le jour où, assis sur son lit, sanglotant, il a tenu dans ses bras son père qui sanglotait. Il y a eu des périodes de démence, aussi. Un jour, il a battu la mère de Phillip — il aurait pu jurer qu'une inconnue jouait le rôle de son épouse.

Ce qui est dur, c'est de ne pas savoir à qui on aura affaire quand on demande son père.

Mrs. Chin s'est levée pour partir. Elle enfile son manteau, gagne la porte avec son sac, se retourne et s'incline. Elle dit quelque chose en chinois, d'une voix très forte pour Mrs. Chin, sachant que Phillip ne comprend pas. Il la regarde s'éloigner lentement dans l'entrée, devenir de plus en plus petite et disparaître dans l'escalier.

Il y a un courant d'air quand elle ouvre la porte du rez-de-chaussée, une odeur de gingembre. Phillip se dit que c'est peut-être le paillasson qui aurait besoin d'être nettoyé. Tendant la main en travers du bureau, il ouvre le sachet. A l'intérieur, il y a un petit tas blanc de rondelles gommées, percées d'un trou au milieu. Des trucs qu'on lèche. Des œillets, il s'en souvient maintenant, des renforts! Des trucs qui empêchent les trous de se casser.

Phillip décroche le téléphone.

— Allô?

— Bonjour papa.

— Phil! Comment va Phil?

— Très bien, papa. Et toi?

— Moi? Que veux-tu que ce soit? On ne sait jamais, c'est tout.

— Comment va maman?

— Maman? Très bien.

— Tant mieux. C'est bien. Quoi de neuf, papa? On m'a dit que tu avais appelé.

— Ah bon, j'ai appelé?

— Partita m'a fait la commission.

— Oui. Elle a du chien. Oh, ça oui. Et très intelligente. Tu disais qu'elle est espagnole?

— Sud-américaine. Elle est du Honduras.

— Oh, ça oui, elle a du chien. On bavarde, tous les deux.

— J'ai cru le comprendre.

— Je sais, mon fils, je sais. J'ai pleine et entière confiance.

— Il y avait quelque chose de spécial, papa?

— Pleine et entière. Mais je me demandais s'il y avait quelque chose de spécial.

— A quoi penses-tu, papa?

— Bah, rien de spécial, mon fils. Seulement, je me demandais — et ça me tarabuste depuis quelques jours déjà. Crois-tu qu'il y ait quelque chose qui cloche?

— Qui cloche, papa?

— Rien de spécial. C'est bien ça qui... je tourne et je retourne ça dans ma tête. Je rumine, je suppute. Tout ce qu'on voudra. J'ai un certain nombre d'hypothèses à considérer. Mais je me suis dit que mieux valait te demander. Crois-tu qu'il y ait quelque chose qui cloche?

— Tu peux préciser?

— Bah, c'est seulement pour parler. Tu vois ce que je veux dire. Il y a des gens qui estiment que cela relève de leur responsabilité. Et certaines, comment dire, négociations — je n'utilise pas ce terme par hasard — viennent au jour. Les parties en présence voient ou ne voient pas les choses d'un même œil. Je me demandais si, d'après toi, il n'y aurait pas quelque chose qui cloche.

— Et toi, papa, qu'en penses-tu ?

— Non, je ne crois pas. Mais enfin. Je sais bien que ça ne se voit pas du tout quand on me parle, mais ma pauvre vieille cervelle ne fonctionne plus tout à fait comme avant, mon fils. C'est pour ça.

— Je comprends.

— Je voudrais te poser une question.

— Oui ?

— Qui est Phil Junior ?

— Pardon ?

— Phil Junior.

— Je ne connais pas de Phil Junior, papa. Je suis ton fils, Phillip...

— Je le sais bien, Phillip. Je t'en prie. Je ne suis pas idiot.

— Il y a mes deux filles. Mais je ne connais pas de Phil Junior.

— Parfait.

— Tu te sens bien, papa ? Et ta prostate ?

— Très bien. Ça va.

— Comment va maman ?

— Tu disais qu'elle est japonaise ?

— Qui ? Partita ? J'ai dit sud-américaine.

— Tu as dit Honda.

— Non, Honduras.

— Très bien.

— Il faut que je te laisse, papa. Cheryl vous embrasse.
— Très bien.
— Embrasse maman.
— Oui.
— Je t'embrasse, papa.
— Oui, mon fils.
— Je te rappelle bientôt.
— Très bien.
— Au revoir.
— Très bien.

Il y a des cris, maintenant, dans la rue, soudain des vociférations. Phillip se lève à demi derrière son bureau, tente de regarder par la fenêtre. Il se dit que ce sont les gens du magasin qui jettent à la porte l'homme au pantalon mal assorti. Mais il ne voit rien. Il ne peut pas être sûr. Il tient dans sa main les renforts de Mrs. Chin.

Gros cons dans leur Buick

— Vous pensez pas ouvrir une fenêtre? je lui demande en arrivant. C'est de la laque, que vous utilisez là, alors les vapeurs.

— Il fait trop froid dehors.

Je pose mes outils.

— Vous êtes là depuis trop longtemps, peut-être. Vous êtes déjà habitué — l'odeur. Moi je vous dis que c'est dangereux.

Le peintre me regarde.

— J'ai mon masque, vieux.

— C'est pas ce masque qui vous servira à grand-chose contre les vapeurs. Faudrait un masque à gaz — un de ces trucs avec un tuyau devant. Votre masque, c'est pour la pollution, comme celui que portent les Chinetoques quand ils font du vélo.

— Quelle différence?

Je pivote sur moi-même en agitant la main.

— Je crois que la pollution, c'est plus gros que la peinture. Les molécules de peinture sont plus petites, ou un truc comme ça. Elles traversent les mailles. Ce masque, c'est seulement du tissu, ça filtre les particules, les morceaux. Les petits bouts de pollution. Mais la peinture, c'est des molécules.

Il a son rouleau au bout d'un bâton, pour pas avoir à grimper sur une échelle, ménager son dos. Mais il est quand même sur une échelle, voilà. Je me dis qu'il n'avait pas de bâton assez long. Il est en train de peindre le plafond. C'est très haut de plafond, ici. Un des nombreux trucs que le fric permet de se payer à New York.

— Mais j'ai acheté ce masque chez le fournisseur de peinture. Pourquoi on vendrait des masques chez les marchands de peinture s'ils n'arrêtent pas la peinture ?

Je hausse les épaules. J'aurais tendance à m'en fiche. Sauf que je suis là moi aussi et que mon boulot va prendre un moment. S'il veut s'asphyxier, c'est son droit, mais je suis là aussi. C'est ça, la démocratie. Il est noir, il devrait le comprendre.

— Je peux pas bosser ici comme ça.

— Bon, eh ben, allez-y, ouvrez une fenêtre. Je suis quelqu'un de raisonnable.

Il est habillé tout en blanc comme ça, couvert de

taches de peinture, et sur la figure aussi. Couleur pêche. Ça fait bizarre sur sa figure. Ça ne se verrait pas sur la mienne — les blancs sont plutôt couleur pêche, quand on y pense. Il a un galure, aussi. Avec un logo dessus, une boîte de peinture qui se déverse sur le globe. Elle coule à flots, recouvrant plusieurs continents. Ça dit : *Nous couvrons le monde.* Ça va être le tour du Brésil.

— Je veux pas faire de courant d'air, s'il fait trop froid, ce serait bête de se rendre malade. C'est la saison du rhume. J'en ai pour deux minutes, le temps de changer le cylindre de la serrure. C'est pour vous. Je pense pas que les vapeurs me feront mal en un quart d'heure. A vous de voir.

— Ouvrez la fenêtre, si vous voulez.

— C'est pas ce que je veux. Moi, ce que j'en disais, c'était pour vous.

Il me regarde.

— Ouvrez la fenêtre, s'il vous plaît.

— Bon, si vous le dites. C'est pour vous.

Il y a des serruriers qui portent des chemises avec des logos. Mais moi, je ne mets rien de spécial pour aller bosser — tu vas boire un cahoua pendant une pause, et tout le monde te regarde et te juge. C'est pas que ce soit négatif, mais les gens te collent une étiquette. J'ai aucune raison d'avoir honte, mon boulot est honnête, je le fais bien. Je ne le porte pas sur ma chemise, c'est tout.

— Alors ? Trop froid ?

— Très bien, vieux. Parfait. Je me sens déjà mieux.

— Je peux fermer un peu plus.

— Ça va très bien.

Tiens, par exemple, j'ai pas non plus de plaque commerciale sur ma voiture. C'est vrai, ça rend pas la vie facile pour se garer — à New York, pas besoin de vous faire un dessin —, mais je ne veux pas me faire remarquer.

Rose dit que je fais un complexe parce que j'ai un travail manuel, une histoire de dénégation ou je ne sais quoi. Elle aura vu ça à la télé, j'en suis sûr. Je la laisse dire. A quoi bon faire des vagues ? Elle a assez d'ennuis comme ça, à s'occuper de notre fille, qui nous en a fait voir de toutes les couleurs.

Le peintre noir s'est remis à peindre le plafond.

Je sors mes outils.

— Vous avez vu personne du cabinet immobilier ? je demande. J'ai des questions à poser sur ce que je suis censé faire.

— Ils sont passés ce matin. Ils ont dit qu'ils reviendraient plus tard. Dans l'après-midi, avec les nouveaux locataires.

Je vois du premier coup d'œil qu'il faudrait changer la gâche en plus du cylindre. Si ça dépendait de moi, je poserais un nouveau verrou avec une fermeture trois points, plus haut sur le chambranle. Seulement ça dépend pas de moi. C'est pas mon appart, et d'ailleurs, c'est tant mieux. Des plafonds pêche, moi, je supporterais pas.

Le mieux serait d'attendre pour demander aux nouveaux locataires, mais j'ai pas que ça à faire. Je suis déjà en retard sur mon programme. Stephanie a recommencé à faire des siennes, ce matin, il a fallu une heure pour la calmer avant de l'emmener à l'école. Ça n'arrive plus que rarement, ces temps-ci, mais ça arrive.

Le cabinet immobilier m'a seulement demandé de changer le cylindre, et c'est eux qui paient. Je regarde ma montre.

— Ça veut dire quoi, « plus tard dans l'après-midi » ? Trois heures, six heures ? Je sais pas ce que je dois faire, moi. On s'est mis d'accord sur le devis pour une chose, mais maintenant que je suis sur place, je vois qu'il faudrait en faire une autre. Ce que j'en dis, c'est d'après moi. Mais je veux pas prendre la responsabilité, je veux pas avoir l'air de pousser à la dépense et tout ça. Je sais pas ce que ça veut dire, « plus tard dans l'après-midi ».

Le peintre reçoit une goutte de peinture dans l'œil.

Elle lui dégouline sur la figure comme une larme pêche, en plus gélatineux.

— Oui, oui, il dit. Je peux pas vous aider. C'est un dilemme moral que vous avez là.

— Vous devriez porter des lunettes, je lui dis.

Je fais entrer les gens, c'est mon boulot. Les gens s'enferment dehors — ils ferment la porte en laissant les clefs à l'intérieur, par exemple, ou se font piquer leur sac. Je les fais entrer. Parfois je les empêche d'entrer — supposons un divorce, un des deux veut pas que l'autre ait la clef de l'appartement. Les histoires qu'ils me racontent.

— C'est un dilemme moral, dit le peintre.

Parfois, ça dérape. Je suis là en train de changer la serrure, et qui est-ce qui s'amène ? Le mari, dingue de rage. Il m'ordonne d'arrêter, elle m'ordonne de continuer. Ils en viennent parfois aux mains. Une règle : je m'en mêle pas. Mais ça fout ma journée en l'air, tout de même. Je rentre et je le raconte à Rose.

— C'est ce qu'on appelle un dilemme...

— C'est gentil de prendre ça à cœur, je dis. Merci.

J'ouvre ma trousse à outils, je regarde dedans. Le peintre est perché sur son échelle, son rouleau gigote dans sa main pendant qu'il essaie de s'essuyer l'œil. Il a un mouchoir, mais il est plein de peinture. Il se tamponne l'œil, regarde le mouchoir, se tamponne l'œil, regarde le mouchoir.

— Pourquoi vous dites dilemme moral? je lui demande, qu'est-ce que ça veut dire?

Et que je tamponne et que je regarde et que je tamponne et que je regarde.

— Eh ben, d'un côté vous avez ce que vous avez dit que vous alliez faire et de l'autre ce que vous pensez qu'il faudrait faire. Saleté de peinture. Vous êtes coincé entre faire ce qui vaudrait mieux et respecter votre engagement. Merde.

Il essaie de cracher sur son mouchoir avant de se tamponner. Mais c'est de la laque, comment la salive arrangerait-elle quelque chose?

— Vous comprenez, c'est l'un ou l'autre, il poursuit. Les deux sont justes, mais vous pouvez pas faire les deux puisqu'ils sont contradictoires.

Je sors ma perceuse.

— Y a pas de prise!?

— Mais non, aucune prise. C'est ça un dilemme, c'est ce que je vous explique.

— Faut bien que je branche ça quelque part.

— Ah, oui.

Mais j'en vois une. Exactement à mes pieds, c'était ma trousse qui la cachait. Ça, c'est New York.

Je passe mes mèches en revue. Si je change seulement la gâche, il me faudra une mèche de trois millimètres. Mais si je dois poser le nouveau verrou, il me faudra aussi la scie circulaire. Je regarde dans ma trousse.

— Pourquoi vous attendez pas que les gens du cabinet reviennent ? fait le peintre.

Maintenant il s'est mis autre chose dans l'œil, à force de tamponner. Un bout de je ne sais quoi. Il s'accroche à l'échelle d'une main pour pas perdre l'équilibre en essayant de se tamponner l'œil et de redescendre en même temps.

Je regarde dans ma boîte de mèches. Je réfléchis.

Ça va mieux, à la maison, en ce moment. Stephanie s'est calmée.

Avant de l'avoir, j'étais pas sûr de vouloir d'enfants. Mais Rose en voulait, alors, comme je l'aime, ça méritait réflexion. Je voulais pas me marier non plus. Mais j'ai pas de regrets. On a fait et refait le tour de la question des enfants.

Chez certains, c'est le truc de la responsabilité qui leur fait peur, mais j'ai jamais été du genre à me dégonfler. Il y a aussi l'idée d'avoir des gens qui dépendent de vous, mais ça non plus ça ne me dérange pas (mon beauf). Ce n'était pas non plus la question des soucis financiers.

Pour finir, il y avait une idée dont je n'arrivais pas à me débarrasser : et si mon gosse était un sale con ?

« C'est pas possible, tout le monde me disait, ton propre sang, la chair de ta chair, jamais tu ne trouveras que c'est un sale con ! »

Et Rose, elle :

— A ta place, je m'en ferais plus à l'idée que ton gosse risque de penser que c'est toi le sale con.

On a eu Stephanie, et c'était un beau bébé. Mais quand elle a atteint l'âge fatidique de deux ans, j'ai dégusté. A cinq ans elle était encore pareille, j'en perdais les pédales. Elle poussait des cris et des hurlements à la moindre contrariété. On pouvait rien lui refuser, il fallait lui céder sur tout. Elle nous insultait, nous disait des choses horribles. Rose a fini par l'emmener chez un psychologue. Il nous a dit que Stephanie avait un QI très élevé, que son cerveau avait pris de l'avance et que ses sentiments couraient derrière. Quand Rose m'a dit d'être patient et d'attendre que les sentiments aient rattrapé le cerveau, j'ai failli l'étrangler. « C'est pas matériel, les sentiments ! j'ai hurlé. Comment veux-tu que quelque chose d'immatériel rattrape un cerveau ? »

Et puis à partir de son sixième anniversaire, Stephanie a changé. Elle a cessé de bouder, et tout ça. J'en croyais pas mes yeux. Soudain, elle était devenue quelqu'un de gentil, de drôle même — elle nous racontait des blagues qu'elle avait apprises à l'école, et elle en connaissait de bonnes. Je suis resté sceptique pendant un an, mais elle en a huit maintenant. Elle se niche sur mes genoux pour regarder la télé, et faut voir ses peintures.

— Vous avez pas du collyre ?

Le peintre sort de la salle de bains. Je l'ai même pas vu y entrer. Il a un tampon de papier hygiénique humide collé sur l'œil maintenant, la tête en arrière.

— J'en ai pas, non.

— Tant pis. Vous inquiétez pas, je pense que l'eau froide suffira.

— Je m'inquiète pas.

Je vois mal pourquoi il vient me prendre la tête avec ses dilemmes s'il est même pas capable de pas se mettre de peinture dans les yeux. En quinze ans de serrurerie, j'ai jamais eu la moindre blessure à l'œil.

Il ôte le papier hygiénique de son œil pour s'essuyer le nez avec.

— Ça a l'air intéressant, cet outil, il dit.

— Ça, là ?

— Oui. A quoi ça sert ?

— A percer un gros trou dans les portes pour poser les cylindres des serrures. Ça commence par un trou normal, là, à l'extrémité, et puis ça le guide jusqu'à cette grande scie circulaire. C'est dentelé, là.

— Vous voulez bien regarder mon œil, vieux ?

— Quoi ?

— Je crois que j'ai réussi à sortir ce qu'il y avait dedans. Un éclat de je ne sais quoi. Seulement c'est encore irrité. Si vous vouliez bien regarder pour voir s'il reste quelque chose.

— Ben...

— Mais posez d'abord votre scie, vous voulez bien.

Je vois pas ce qui m'y oblige, mais je la pose. Elle m'échappe de la main et tombe dans la trousse au milieu des autres mèches avec un cliquetis métallique. Tout ça a l'air de beaucoup amuser le peintre. Je lui regarde dans l'œil.

— Je ne vois rien.

— Vous avez décidé d'installer la nouvelle serrure, c'est ça ? il dit, alors que je suis penché sur lui.

— J'ai rien décidé.

— Ben alors pourquoi vous avez sorti votre scie ?

— Regardez en l'air.

— Vous êtes croyant ?

— Je ne vois... Comment ça, si je suis croyant ?

— Je m'intéresse aux religions. On peut voir la religion des gens rien qu'à les regarder. Leur confession, d'ordinaire. Seulement il arrive qu'on ait des surprises.

Il regarde en l'air. Il n'a rien dans l'œil pour autant que je puisse voir.

Voilà qu'il se met à rire, comme ça, sans raison. C'est un rire rauque, comme un rire de vieux. On dirait que son rire est fait de quelque chose qui se casse en plein de morceaux. Il n'est pas vieux, pourtant. Maintenant que je le vois descendu de son échelle, je me rends compte qu'il est plus jeune que moi.

— Je raconte n'importe quoi, il dit en secouant la tête.

Il me tapote l'épaule.

— Faites pas attention.

— Je suis juif, je dis. Puisque vous le demandez.

Il s'immobilise, se retourne.

— Non...

— Si. Je suis pas pratiquant, mais...

Il met les mains sur les hanches et ouvre tout grand la bouche, bouche bée.

Mais alors béante. Il y a des gens qui font ça — des cons dans la circulation qu'on voit quand il y a eu un accident, en général dans des Buick. T'as des bouchons de plusieurs kilomètres, et quand ils passent près de l'accident, ils s'arrêtent pour regarder, bouche bée. D'ordinaire c'est des gros. Des gros cons dans des Buick. C'est pour ça qu'on peut jamais aller nulle part à New York sans rester coincé des heures.

— Juif! le peintre dit.

Il regrimpe sur son échelle.

Des gros cons dans des Buick. Je suis complètement déchiré. Si je pose le nouveau verrou et que le cabinet immobilier n'en veut pas, j'aurais perdu mon temps — faudra que je le dépose et que je mette une plaque sur le trou. N'empêche, si je change seulement le cylindre, j'aurai l'impression de ne pas avoir garanti la sécurité du locataire. Je pourrais toujours poser le nouveau verrou et le laisser même s'ils en veulent pas, mais j'y serai de ma poche. Trente dollars, c'est trente dollars, y a pas à tortiller.

— Dites...

Le peintre est de nouveau juché sur son échelle.

— Dans la religion juive, qu'est-ce qui vous arrive après la mort ?

— Comment je le saurais ?

J'ai un autre boulot qui m'attend, mais c'est tout à fait à l'autre bout de la ville, dans l'East Side, et me taper tout ce chemin avant de me le taper en sens inverse. Avec la veine que j'ai, je serai pas sitôt parti que les autres vont s'amener. J'ai horreur de ça.

— Chez vous, on croit au paradis ou alors quand on est mort, on est mort et voilà ?

— J'en sais rien. Je suis pas pratiquant.

— Et vous avez saint Pierre ?

Je me rappelle un truc sur les « portes du Bien », peut-être que c'est comme le paradis.

— Il n'y a pas de saints, je dis, on s'est arrêtés avant.

Je décide d'examiner de nouveau ce qu'il y a déjà sur cette porte.

— Moi je suis adventiste du septième jour.

— C'est bien.

Je pourrais presque m'arranger avec ce qu'il y a déjà, maintenant que je regarde de nouveau. Coller une barre à côté de la serrure existante, et ça fera l'affaire, peut-être ajouter une plaque de blindage par-dessus le cylindre, pour qu'on puisse pas introduire des pieds de biche. Seulement je me demande si les locataires ont des enfants. S'ils en ont, vaudrait mieux installer le nouveau verrou. Je me demande si les nouveaux locataires sont des gros cons à Buick.

Depuis qu'on a une fille, je m'inquiète. Autrefois, je regardais les autres tomber dans le piège. Dès qu'on a un gosse, on devient brusquement parano : tous les coins de table un peu aigus, toutes les prises électriques, les cafards dans les hôtels. On emmerde tous ses amis avec ça, et ils ne viennent plus vous voir — ceux qui n'avaient pas déjà été chassés par l'ennui de la grossesse.

On est allés s'installer à Brooklyn après la naissance de Stephanie, mais il n'y a pas de quartier sûr à New York. J'ai vu des trucs. À vous dresser les cheveux sur la tête. J'ai installé des serrures chez les riches et chez les pauvres. Je fais aussi les fenêtres.

— Vous connaissez quelque chose à l'adventisme du septième jour ?

— Non merci.

— J'y ai ouvert mon cœur grâce à mon beau-frère. Mais je ne suis pas un expert.

— Tant mieux.

(Si je savais que les locataires ont ou non des enfants ça m'aiderait à me décider. Seulement j'en sais rien. Je voudrais bien savoir mais j'en sais rien.)

— Avant j'étais baptiste, le peintre dit. Le baptisme, je m'y connais. Seulement, maintenant, ma foi, c'est l'adventisme du septième jour. Je n'y connais rien mais j'ai la foi. La foi diffère de la connaissance. On est appelé dans son cœur et on n'a pas besoin d'en savoir plus. La fumée vous dérange ?

— Oui.

Si je savais quand les gens du cabinet immobilier doivent passer, je pourrais attendre, mais qui sait quand ils passeront ?

— C'est quoi, la religion juive, avant tout ? La foi juive. C'est ça, pas la religion, la foi. Vous voyez ce que je veux dire ?

Il allume une cigarette. Maintenant il fume sans les mains, perché sur son échelle, peignant avec son rouleau sans cesser de blablater. Entre les vapeurs de la peinture et la fumée de cigarette, je vous raconte pas, même avec la fenêtre ouverte. Sans compter le bruit de la rue, et son bavardage pour faire bon poids.

Les coups frappés à la porte résonnent vachement fort pour une raison ou une autre — les planchers, l'absence de meubles qui pourraient absorber le bruit. J'étais juste derrière la porte, alors je fais un bond d'un kilomètre et je me retrouve dans ma trousse à piétiner les mèches. Je trébuche et je les éparpille à travers la pièce.

Je reconnais le type du cabinet immobilier. J'ai pas la mémoire des noms, mais je me rappelle sa figure, parce qu'elle n'allait pas du tout avec sa voix au téléphone la première fois que je l'ai vu après qu'il m'a engagé. Il y a aussi un type en costard avec une femme derrière lui. C'est les nouveaux locataires. J'en ai vu des tas de locataires, et ceux-là, c'est des locataires. Ça se reconnaît rien qu'à leur façon de se tenir sur le palier.

Je vois tout de suite que c'est des basanés. Le mari est très bien fringué avec un joli manteau, sa femme pareil. Il y a un jeune homme avec eux, il a l'air d'avoir dans les dix-huit ans, mais c'est difficile à dire. Il a quelque chose de bizarre.

— Excusez cette intrusion, dit le type du cabinet immobilier.

Le jeune homme se tient à l'écart des autres, derrière, loin sur le palier — planté là les mains plaquées sous le menton et la tête tordue vers l'arrière, les yeux levés, se balançant d'arrière en avant.

Le type du cabinet immobilier tient la porte ouverte aux nouveaux locataires. Il s'écarte poliment. J'ai peur que les locataires glissent sur les mèches, mais j'ai pas envie de me baisser pour les ramasser devant tout le monde.

Ils entrent. Quand ils voient les mèches, je me mets à les ramasser, je n'ai plus le choix.

Le jeune homme reste à l'extérieur sur le palier.

Le mari se retourne, fait un pas vers la porte.

— Youssef ! il appelle.

Le jeune homme le regarde, surpris, et se dépêche d'entrer dans l'appartement. Il a une drôle d'expression sur la figure — on dirait qu'il sourit, mais si on regarde attentivement, on voit que non.

— Par ici, s'il vous plaît.

Le type du cabinet immobilier les conduit dans la pièce voisine qui donne sur la rue.

En passant, ils font un petit signe de tête au noir qui peint le plafond pêche.

Je me dis : « Je vais pouvoir leur demander s'ils veulent que j'installe un nouveau verrou. »

— Je vous avais bien dit d'attendre, dit le peintre. « Tout vient à point à celui qui attend. »

— Non, je dis. Je crois que c'est « à qui sait attendre ».

Je les entends parler dans la pièce d'à côté. Les nouveaux locataires ont un accent, ils s'expriment avec douceur alors que le type du cabinet immobilier parle comme une mitraillette.

— Nous ne sommes pas pressés, dit le mari. Nos meubles sont en garde, ici même, au port. Mais il y en a d'autres qui quittent Casablanca aujourd'hui. Ils arriveront dans dix jours, et ce serait commode si nous pouvions les faire livrer directement ici du bateau pour éviter de les décharger et de les recharger deux fois.

— Aucun problème, dit le type du cabinet immobilier. Dix jours, aucun problème. Comme vous voyez, les peintures sont presque terminées. Après ça, il n'y a plus que quelques petites finitions.

Je ramasse les dernières mèches, repousse ma trousse contre le mur, devant la prise. Je retourne dans la pièce, à côté de l'échelle, pour qu'ils puissent me voir. J'attends que le type du cabinet immobilier regarde dans ma direction. Je fais un geste de la main. Comme personne ne me regarde, je me dis que j'essaierai de nouveau plus tard.

Quand je me retourne, le jeune homme se tient juste devant moi.

Il s'était remis à se balancer, mais, quand je me retourne, il s'arrête. Il a une expression de surprise effrayée sur la figure, il n'y a pourtant aucune raison d'être surpris ou effrayé. Il me regarde fixement. Il a les yeux noirs. Sa tête tressaute toute seule, une seule fois, puis il se fige comme une statue. Il tord sa figure en une expression très inhabituelle — les yeux plissés et la lèvre supérieure retroussée, à toucher ses narines. Il cesse et se met à sautiller à pieds joints, puis refait la même grimace. Puis il cesse et fait un grand sourire. Puis, comme par timidité ou je ne sais quoi, il met ses mains sur sa figure et la détourne sur le côté, souriant derrière ses mains.

— Youssef!

Le jeune homme se conduit comme s'il n'entendait pas sa mère l'appeler. Il s'avance jusqu'au milieu de la pièce en faisant des bruits — une toux et des couinements — doucement, pour lui-même. Il tape dans ses mains de temps à autre.

— Des Arabes, dit le peintre. Les Arabes rappliquent. D'après vous, qu'est-ce qu'il a?

Comment le saurais-je? Je ne dis rien. Le jeune homme décrit des cercles sur le plancher, marchant les genoux pliés, traînant les pieds. Il est replié sur lui-même en une espèce d'accroupissement et agite les mains en même temps. L'espace d'une seconde, je me demande si c'est une danse, s'il danse. Mais qui irait enseigner à quelqu'un une danse pareille?

Soudain il s'immobilise, au beau milieu, et marche jusqu'à moi. Il me sourit. Il rit (je crois que c'est un rire), puis couvre son visage et se détourne, timide de nouveau.

— Il vous a vraiment à la bonne, dit le peintre.

— Pourquoi vous dites ça?

— Youssef!

Le père s'amène. Il jauge la situation. Je dis :

— Ça va. Tout va bien.

Youssef s'est remis à glousser. Planté devant moi, il glousse, les mains jointes en coquille devant la bouche, il glousse dedans, puis il les lance en l'air comme pour jeter son gloussement quelque part, comme si c'étaient des petits morceaux de gloussement.

— J'aimerais vous poser quelques questions sur les serrures... je commence à dire.

Je me rends compte qu'il glousse pour sa main, comme si c'était quelqu'un, comme si sa main était quelqu'un qui serait une main.

— Qu'est-ce qu'il a? demande le peintre.

— Il est autiste, dit le père.

Il le dit fort, comme quelqu'un qui est fatigué de dire quelque chose.

Je regarde le jeune homme. Il s'est remis à traîner les pieds, à danser, et il chante dans ses mains maintenant. Il danse et il chante. J'attends qu'il me regarde de nouveau, mais il ne me regarde pas. J'attends. Quand il me regardera de nouveau, je vais lui sourire, lui faire un grand sourire.

Ça cause dans la pièce d'à côté. C'est la femme qui parle. Le type du cabinet immobilier s'amène à son tour, il fonce droit sur le mari.

— Il n'y a pas de problème, aucun problème, il lui dit. Vous pouvez tout à fait installer ça maintenant. L'appartement est à vous, le bail et tous les papiers sont signés. Vous êtes chez vous, vous pouvez faire ce que vous voulez. Allez-y, installez-le.

— Ah, merci, dit le mari. Merci.

Il retourne à la hâte dans la salle à manger pour prendre son manteau sur la chaise. Il fouille les poches, en tire un objet enveloppé dans du papier de soie et d'autres trucs dans une autre poche. Puis il revient, traverse la pièce et gagne la porte.

Il déballe ce qu'il tient, j'entends le papier de soie, mais je ne regarde pas. Je regarde le jeune homme, j'attends qu'il me regarde de nouveau. Pour lui sourire.

On entend des coups. Le mari plante des clous dans la porte. Le bruit fait s'immobiliser le jeune homme. Il penche la tête sur le côté.

— Il faut que nous partions, la femme dit.

Du coin de l'œil, je la vois revenir avec les manteaux.

— Merci pour tout.

— Mais je vous en prie, dit le type du cabinet immobilier.

— Youssef!

Le jeune homme se dirige vers la porte. Ils se tiennent là un instant, tous, à échanger des poignées de main. Je remarque le petit objet cloué dans un coin sur la porte, côté palier. Il y a des caractères hébreux dessus.

— Qu'est-ce que c'est que ça? le peintre dit, dans mon dos.

Je les regarde tous se serrer la main. Les parents s'éloignent sur le palier, mais le jeune homme reste planté là. Ils l'appellent de nouveau et il se hâte à leur suite. Je les regarde s'éloigner le long du couloir. J'attends là, à les regarder, jusqu'à ce qu'ils montent dans l'ascenseur et disparaissent.

J'aurais bien voulu qu'il me regarde de nouveau.

— De quoi vouliez-vous me parler? demande le type du cabinet immobilier.

À cinq minutes à pied

J'ai vu la petite annonce ce matin. Jamais je ne lis les petites annonces, mais qu'est-ce qu'on peut bien faire chez son oncle, le matin, en semaine ? J'étais venu pour la noce, mais la noce est finie. Ma petite cousine et son yuppie doivent être à mi-chemin de Rome, à l'heure qu'il est. C'était mon idée, la lune de miel italienne, et aussi d'accrocher des casseroles à la queue du Concorde. On a le droit de rêver, non ?

On a le droit de rêver. C'est ce qu'on a fait, rêver, Bud, Phillip et moi, quand on s'est parlé au téléphone, il y a deux mois, en conférence — entre Traverse City, dans le Michigan, New York et Paris —, et qu'on s'est dit : Et si on retournait tous vivre dans notre vieux quartier ? On pourrait acheter les maisons dans lesquelles on a tous grandi, elles doivent se vendre une bouchée de pain. Même pas. A cinq minutes à pied.

On se rappelle les adresses. On les apprend comme des comptines quand on est petit, des fois qu'on se perdrait. Sa propre adresse et celles des voisins. J'ai reconnu l'adresse de Treese dans la petite annonce, elle m'a sauté aux yeux — les mêmes cinq zéros que du temps où on avait six ans tous ensemble. Aucun d'entre nous n'a beaucoup changé, sauf Treese. Sauf que sa mort nous a beaucoup changés.

Il y avait une cabine téléphonique autrefois, au coin de Hubbell Street et de Landowne Road. On y restait à s'asphyxier des heures durant, dans la puanteur des cigarettes du dernier usager — gelant en hiver, cuisant en été —, pour parler des heures durant à une petite amie interdite. On appelait d'une cabine, et pas de chez nous, parce qu'elle était interdite, et parce que ce genre de conversation dure des heures. La cabine était là autrefois, devant la pizzeria qui est devenue un magasin de produits de beauté afro, au tournant de l'artère principale qui vous ramène chez vous.

Je suis revenu en bagnole, revenu là où il n'y a jamais eu que des bagnoles. Tout au long de cette rue, rangées dans des parkings, exposées dans des vitrines. Des bagnoles. A l'Autorama, tous les Noëls, au centre-ville. Dans les catalogues et les garages.

Autrefois on voyait des gens tout autour. Des foules, les familles qui faisaient la queue pour s'asseoir dans les derniers modèles, tâter les garnitures intérieures, se faire raconter les options. Six cylindres en V, abaisse-vitre électrique, sièges baquets, ailerons. Les vendeurs couraient en tous sens comme des poulets décapités. Contrats et formulaires de commande, crédits faciles, reprises, paiement-à-quatre-vingt-dix-jours-sans-frais. Innombrables poignées de main. Je me rappelle surtout les fanions. Des petits drapeaux de plastique — rouges, blancs, bleus — accrochés de partout à partout, claquant au soleil, reflétant la neige, d'un bout de l'année à l'autre, dans les projecteurs des grandes inaugurations, et les orchestres dixie. Je suis retourné jusqu'à mon vieux quartier par des voies rapides et des rues adjacentes, touriste sur mes propres terres. Je suis parti ce matin, de l'appartement de mon oncle à Oak Park, première banlieue juive — première station du chemin de fer clandestin de la diaspora de Motown. Guerre de Sécession à l'envers : les blancs fuyant les noirs vers le nord, en éventail, toujours plus loin. Ils se sont installés dans des lotissements à dix ou quinze kilomètres de la ville pour y construire des maisons individuelles ou des immeubles.

Ils parlaient de la démographie comme s'il s'agissait d'un cancer. Ça s'étalait. La première famille noire de la rue. La surveillance. Les limites. La prolifération. Pour finir, la décision d'une chirurgie radicale : s'extirper soi-même, abandonner sa maison comme quelque chose d'infecté, aller se greffer avec les siens sur une nouvelle terre saine. On construira une voie rapide jusqu'à vous et, avec le temps, un restau kasher ouvrira.

Nos parents ont fait ça quand ils n'étaient guère plus vieux que nous ne le sommes aujourd'hui. Rentrés de la guerre, mariés et jeunes. C'était leur second foyer. L'idée de la maison de rêve — encore en ville mais avec de la place pour que la famille grandisse. Le nord ouest de Detroit. Les parcelles individuelles par groupe de dix, les rues qui seraient bientôt bordées d'arbres — les pelouses, les petits jardins derrière les maisons, les terrasses couvertes devant, le garage. On avait construit une école primaire très estimée des gens qui estiment les écoles primaires. Il y avait des boutiques entre les concessionnaires autos de Landowne Road — des supermarchés, des coiffeurs, des pharmacies, des fruits.

Nous sommes nés.

Aujourd'hui, nous savons que c'était idyllique, mais, à l'époque, nous n'avions aucun point de comparaison. Nous voyions des gens à la télé — les sitcoms des années cinquante —, mais nous ne savions jamais que c'était nous. Oui, nous jouions bel et bien sur la pelouse, oui, nous bâtissions des cabanes dans les arbres. Baignés de tout près dans la culture de la capitale de l'automobile, nous connaissions la musique. La bouffe et le langage. Quand la première famille noire s'est installée, nous étions aux anges. C'était 1966 déjà, et les cheveux et le discours. Mais c'était nouveau. Nous avons dû inventer nos réactions quand nos parents ont commencé à râler.

Nous avions une piscine, nous la remplissions pour l'été. Par un mercredi particulièrement brûlant, nous avons invité Eric, dix ans, le fils de la famille noire, à venir se baigner avec nous. Cet après-midi-là, mon père est rentré du travail, a jeté un coup d'œil dans l'eau, est monté dans sa chambre et n'en est pas ressorti de toute la soirée, répétant sans cesse : « Ces gens-là dans ma piscine, ces gens-là dans ma piscine à moi... »

Je n'ai plus jamais remis les pieds dans la piscine.

L'école primaire si estimée avait fait la joie de nos parents, le lycée, ce fut une autre paire de manches.

Cooley, situé plus au sud, en direction de la ville, était déjà à demi noir quand nous eûmes l'âge d'y entrer, n'avait jamais été connu pour la qualité de son enseignement et se trouvait dans un quartier réputé dangereux. Le pied. Le jour du premier anniversaire de l'assassinat de Martin Luther King, il y eut une émeute à Detroit. Elle débuta à Cooley, en salle de latin. Il y eut un incident entre deux élèves — un blanc, un noir. Une quelconque remarque sans importance. Ils en vinrent aux poings, roulèrent sur le plancher. Un quart d'heure plus tard, tous les couloirs résonnaient de hurlements assourdissants. Je me rappelle le bruit, croissant comme celui d'une locomotive en folie qui s'approchait de plus en plus, devenant si fort qu'on avait le sentiment qu'il était à l'intérieur de soi. Et puis le verre brisé.

Je fus vice-président du comité inter-racial des élèves, fondé une semaine plus tard, juqu'au jour où ma famille déménagea en banlieue, m'obligeant à fréquenter un lycée où il n'y avait pas de noirs, me contraignant à trouver ma dose d'exotisme chez les jolies Irlandaises.

Quand j'entamai ma troisième année de fac, le nord-ouest de Detroit était noir à 80 % et les derniers de nos parents avaient fui vers les banlieues, ou, dans certains cas, jusqu'à l'ultime banlieue — Miami Beach.

Je roule vers l'ouest dans la Dodge de mon oncle, le long de l'artère principale, parcourant du regard le paysage de ce qui était naguère un grand boulevard.

Le supermarché est toujours là, sous un nom que je ne reconnais pas. La boutique de vêtements pour dame, plus loin en direction de Greenfield Avenue, est encore là, bizarrement sous le même nom. Le reste n'est plus que façades de boutiques mortes, ponctuées çà et là de petits commerces — plats à emporter, coiffeur, un bar, encore un bar. Il y a très peu de circulation. Je fais demi-tour et repars dans la direction d'où j'étais venu, m'engage à droite dans Coyle Street, à deux rues de la maison où Treese habitait.

Coyle Street est étrangement semblable à elle-même. C'est l'hiver, et les arbres qui subsistent n'ont pas de feuilles. Difficile de dire combien ont été abattus. C'est la loi de la nature — les arbres meurent en ville ; de mon temps, on en avait déjà coupé quelques-uns et peint un rond jaune sur les autres pour signaler le feu de l'orme.

Ce n'est pas si grave. Je m'attendais à pire.

Certaines pelouses ne sont pas tondues — une sur cinq, mal entretenues ou laissées complètement à l'abandon, c'est difficile à dire. Tous les stores sont baissés dans toutes les maisons. Certaines sont pimpantes. Buissons bien taillés, un arbre devant. Je regarde entre les maisons pour voir s'il y a des garages. Je compte les voitures dans les allées. Ce sont de grosses bagnoles, bien entretenues. Ça me rappelle le dicton qui courait chez les noirs de la capitale des quatre-roues : *On ne peut pas rouler avec sa maison mais on peut habiter sa bagnole.*

C'est jeudi aujourd'hui. Il ne fait pas très froid. Il n'y a personne dans la rue.

Je compte trois pelouses abandonnées dans le premier groupe de maisons. Aucune dans le suivant. Après le croisement de Margerita Street, je continue tout droit, une porte s'ouvre, celle de la troisième maison sur la droite. Deux gamins sortent en courant, dévalent les marches du perron, foncent sur la pelouse. Ils ont dans les dix ans, ne portent pas de blouson, courent comme des dératés. La porte s'ouvre de nouveau et une femme sort sur la véranda. C'est peut-être leur grand-mère, peut-être leur mère. Elle est vêtue d'un peignoir, pieds nus, et s'époumone. Les gamins s'en fichent royalement. Voilà qu'une femme plus jeune paraît derrière la première, elle aussi en peignoir, elle aussi vocifère. Les gamins, qui ont déjà parcouru une cinquantaine de mètres, reviennent en courant. Ils entament un pugilat pour rire, tombent et roulent sur le gazon. Ils roulent jusqu'au trottoir où l'un des deux se cogne le coude sur le ciment, se relève, soudain furieux, balance son poing dans l'estomac de l'autre petit garçon. Celui-ci éclate en sanglots, court jusqu'au premier, le renverse. Ils se mettent à se battre violemment.

On entend un grand cri dans la maison. Un homme jeune en sort. Il porte une canadienne, un bonnet de tricot. Il descend lentement les marches, s'avance lentement jusqu'aux deux gamins qui roulent toujours sur le trottoir et leur balance des grands coups de pied à tous les deux. Il le fait comme quelqu'un qui sait s'y prendre. Les mômes se relèvent à la hâte, se séparent, échangent encore quelques coups de poing. L'homme les engueule. On n'entend pas exactement ce qu'il dit, mais il parle avec les mains, leur agite un doigt sous le nez. Les deux gamins se balancent d'un pied sur l'autre, puis tournent les talons et regagnent la maison, le type les poussant devant lui en chemin.

Il revient vers la rue. Monte dans sa voiture, démarre, roule jusqu'au carrefour suivant, se range. Il coupe le moteur. Reste au volant.

J'aimerais passer devant la maison d'Evelyn Bloom, voilà ce que je me dis en poursuivant ma route. C'est à une rue d'ici, en direction de l'école. Evelyn Bloom — les premiers nichons au cours moyen.

En revenant, je repasse devant la maison de Margerita Street. Le type est encore dans sa voiture, il n'a pas redémarré, pas bougé. Je vais passer le reste de l'après-midi et le début de la soirée dans mon vieux quartier. Je repasserai par là en repartant. Le type sera encore dans sa voiture, il n'a nulle part où aller.

Il y avait un magazine que j'ai lu chez mon oncle. Un article sur la criminalité disait que Detroit était numéro un pour le meurtre — quatorze enfants ont été tués par des balles perdues l'année dernière —, mais nous sommes passés derrière Washington pour la criminalité en général.

— On les entraîne à l'école — on apprend aux enfants à se laisser tomber par terre et à rouler sur eux-mêmes quand des coups de feu sont tirés d'une voiture, a commenté mon oncle. De ton temps, la seule inquiétude, c'était la bombe H.

A chaque carrefour, un petit écriteau est accroché au réverbère : *Pas de drogue ici.* C'est rudement bien imprimé, ça m'en bouche un coin, en relief, on dirait. Je poursuis ma route.

J'aperçois l'écriteau *A vendre* d'assez loin. Je n'avais pas besoin de le voir. Je sais où habite Treese.

Il y a une voiture dans l'allée de la maison de brique rouge, un break assez semblable à celui de mon oncle. Un animal en peluche avec des ventouses aux pattes est collé à une des fenêtres. Un autocollant proclame : *Si on veut que je rende mon fusil, il faudra me l'arracher quand je serai mort.* Association nationale des tireurs à la carabine.

Je me range le long du trottoir, à une maison de distance, marche jusqu'à la porte. J'entends des hurlements dans la maison voisine, quatre petits enfants me dévisagent par la fenêtre. Je sonne.

La porte m'est ouverte par un blanc qui porte une casquette des Tigers de Detroit et s'essuie les mains sur un chiffon.

— Ouais ?

Je ne sais pas pourquoi il a l'air de trouver ça rigolo, pourquoi il fronce les sourcils.

— J'ai vu l'écriteau *A vendre*. Je voudrais quelques renseignements.

— Quel genre de renseignements ?

— Bah, le prix par exemple.

— Douze dollars, il dit en s'essuyant les mains. L'écriteau *A vendre* m'a coûté douze dollars. Douze dollars pour le tout, numéro de téléphone compris. Ha ! ha ! Je blague.

Il ouvre tout grand la porte.

— Entrez.

Le vestibule donne sur un living à gauche et un escalier conduit à l'étage à droite. Droit devant, c'est la cuisine. Il y a un piano dans le living — un petit piano droit —, un canapé et des fauteuils, quelques tableaux aux murs. Dans la cuisine, toutes les lumières sont allumées, mais le reste du rez-de-chaussée est plongé dans l'obscurité. La plupart des stores sont baissés, certains aux trois quarts seulement. Il y a une boîte à outils par terre près de l'évier dans la cuisine. La petite porte, sous l'évier, est ouverte sur la tuyauterie.

Je reste dans le vestibule, l'entrée. Un type sort de l'ombre dans le living. Il est noir, grand, porte une moustache, une chemise de sport, un pantalon à revers, des mocassins. Il a un bébé sur le bras. Il me regarde, incline solennellement la tête et reste dans le living, sans s'approcher.

— Il a vu l'écriteau *A vendre*, dit le blanc à la casquette des Tigers.

Il se tourne vers moi, indique le type d'un geste.

— Il peut vous renseigner. Je suis venu ouvrir parce qu'il s'occupait du bébé. Moi, je suis là pour réparer l'évier.

Il retourne dans la cuisine, s'assied par terre près de la boîte à outils, passe la tête sous le broyeur de l'évier et se met à siffloter.

Le noir, dans le living, n'a pas bougé, on dirait qu'il regarde quelque chose derrière moi, il reste planté là. Je me démanche le cou pour voir le reste de la maison et me déplace en crabe, levant ou baissant la tête. Le type regarde le bébé dans ses bras, recule de quelques pas dans le living.

— Vous pouvez entrer si vous voulez.

J'entre. A l'autre extrémité du living, il y a un coin repas qui donne également sur la cuisine. Il y a un berceau là, contre le mur, plein de tous les trucs ronds qui couinent contre lesquels je suis définitivement pavlovisé. Je parcours des yeux la cuisine, aperçois le coin du petit déjeuner à l'autre bout. En dehors du bordel de chiffons, de clefs, de pinces et de flaques qui entourent le plombier, on dirait que le ménage a été fait à fond le matin même. La maison est sombre et calme. Je reste dans le coin salle à manger, trébuchant sur les jouets du bébé tout autour de la table. Par la fenêtre, on aperçoit l'allée des voisins, vers le nord — leur fenêtre, leur cuisine. Tout a l'air plus petit que du temps où nous habitions le quartier. Mais non. On est soi-même petit quand on apprend le monde. Alors on se le rappelle grand. Je cesse de trébucher sur des jouets.

Le type qui tient le bébé regarde le plombier. Il me parle sans tourner la tête.

— Il y a aussi une véranda derrière...

— Et un étage, non?

Le type remet la sucette dans la bouche de son bébé. Quand il le regarde, je remarque un sourire imperceptible. Il me reconduit à travers le living jusqu'à l'escalier du vestibule. Là, il fait la chose suivante : il monte une marche, la redescend, s'écarte, signifiant ainsi que je peux monter. Je me demande s'il a suivi des cours pour communiquer sans paroles, une école de mime, peut-être, ou une école pour les sourds.

Je monte l'escalier. Il y a un palier et deux chambres. Je vais jusqu'à celle qui est droit devant, la chambre à coucher principale. Le lit est fait, il y a des photos sur la commode. Il fait trop sombre pour voir, mais je ne peux m'empêcher d'aller droit aux photos, de me pencher dessus, de les regarder.

Soudain j'entends une voix. Je me retourne, regarde par la porte ouverte dans l'autre chambre.

— Oh, pardon. Je ne savais pas qu'il y avait quelqu'un. C'est ta chambre ?

Je regagne le palier à reculons.

Il y a un petit garçon assis sur un lit. Il est en train d'assembler un avion de balsa. Il porte un tee-shirt rayé et des chaussures de grande personne en réduction. Ses lunettes ont l'air trop grandes pour lui.

— Il est joli ton avion, je dis.

Le petit garçon me regarde, regarde l'avion, hausse les épaules.

— Où tu l'as eu ?

Je suis amoureux de cet avion, tout à coup, je ferais n'importe quoi pour l'avoir.

— Papa me l'a acheté à l'hypermarché.

— Ah bon ? Ça coûte combien un truc comme ça, aujourd'hui ?

Une voix résonne au rez-de-chaussée.

— Paul !

— Oui, papa.

— N'embête pas les gens, mon fils.

Paul me regarde.

— Il ne m'embête pas, je lance dans l'escalier.

Il n'y a pas de réponse.

Paul se lève de son lit, pose la maquette sur le petit bureau devant la fenêtre qui donne sur la rue. Il fait bien attention à ne pas me regarder, retourne rapidement sur ses pas pour lisser le couvre-lit. Il range sa chambre avec beaucoup de sérieux, de petits gestes, pour que je ne remarque rien. Depuis le palier, on voit jusqu'à l'autre côté de la rue. Fermant un œil, je concentre le regard de l'autre sur l'anneau qui pend à l'extrémité du cordon du store d'une fenêtre de la maison d'en face, j'essaie de regarder au-delà, puis je saute, de l'une à l'autre, sur toutes les fenêtres en succession. Je ne me rappelle pas la dernière fois que j'ai vu un de ces anneaux de store; ça ne se fait plus aujourd'hui — ces cordons de tirage. Je me rends compte que ces stores sont là, sur ces fenêtres, depuis vingt ou trente ans, passant d'un propriétaire à l'autre, me rends compte que, peut-être, ils étaient déjà là quand Treese était là.

Rouvrant l'œil, je m'avance machinalement d'un pas dans la chambre. Je m'immobilise.

Le petit garçon me regarde fixement.

— Allez-y. Entrez si vous voulez.

Je souris, m'incline comme on fait, m'avance vers la fenêtre, m'appuie des deux mains sur le bureau pour regarder à l'extérieur.

— Tu veux que je te raconte un truc étonnant ? je lui dis.

— Quoi ?

— Cette maison-là... C'était la maison de Sarah Zimmerman.

Je me mords la lèvre. Il me dévisage. J'ai les yeux hors de la tête. Je retiens mon souffle, le relâche dans un frisson, les yeux fixés sur le gamin, hochant du chef en silence.

— C'est vrai ?

— Parfaitement. Sarah Zimmerman.

Les mains arrondies devant la poitrine, je les fais aller et venir en un geste suggestif.

— Elle a donné une boum, une fois.

Je sors mon portefeuille maintenant, en tire une photo de groupe de nous tous, prise il y a trois ans.

— J'y suis allé. Avec lui, là.

Du doigt, je montre Treese. C'était avant que ça ait commencé à se voir, il était simplement un peu maigre.

— Depuis toujours on était des chiens aux pieds de Sarah Zimmerman. Des chiens ? Même pas, des souris ! Jamais elle ne nous avait accordé un regard. Et puis, ce soir-là, vers minuit, quand la plupart des autres étaient déjà partis, on était assis par terre dans le living, la musique jouait, les projos de lumière noire étaient allumés... Ah, dis donc ! Sarah Zimmerman est descendue de sa chambre où elle était retournée arranger sa coiffure — elle avait des couettes dans mon souvenir — et elle a marché droit sur lui...

Je montre Treese de nouveau.

— Et là, elle lui a accordé un regard.

— Ah bon ?

— Et comment ! J'en étais complètement tourneboulé. Catastrophé. Humilié, la tête basse, je suis sorti dans la rue. Cette rue-ci. Et j'ai marché jusque chez Lou, *Lou's Finer Delicatessen*, et j'ai commandé des frites. Et tu sais pas ce qui s'est passé ?

— Non.

— Eh ben, j'étais pas là depuis dix minutes, qui est-ce qui s'amène chez Lou ?

Je le regarde.

— Je sais pas.

— Tu sais pas ?

— Non.

Je montre la photo.

— Lui. Il est entré chez Lou, s'est assis à côté de moi et a commandé des frites lui aussi. Il avait quitté Sarah Zimmerman — l'avait plantée là dans la lumière noire.

Et je me rappelle ce qu'il m'a dit. Il a pris une frite, l'a trempée dans le ketchup, l'a brandie toute dégoulinante, m'a regardé au fond des yeux, et il a dit : « Tu sais, j'ai l'impression qu'elles étaient plus croustillantes avant, non ? »

Le petit garçon n'a pas cillé depuis cinq minutes. Je lui souris, lève les sourcils et, du menton, indique la fenêtre.

— Ça s'est passsé là, fils. Et tu veux savoir encore ? Lui, il habitait ici, dans ta maison.

Le petit me dévisage, jette un coup d'œil par la fenêtre. Agrandis par ses lunettes, on dirait que ses yeux sont émerveillés. Il dit doucement :

— Je suis pas votre fils.

— Je sais.

Je retraverse la chambre pour rejoindre les autres. Le petit va s'asseoir sur son lit, se rend compte que ce n'est pas poli, se lève. Il est debout au milieu de sa chambre.

On entend des voix au rez-de-chaussée. C'est le plombier ; apparemment, il en a fini avec l'évier. Mais une expression se peint sur le visage de Paul. Nous écoutons. Ils parlent d'argent — certains mots clefs nous parviennent. Je me dis que le plombier a réparé l'évier pour faciliter la vente de la maison, que ces maisons-là, dans ces quartiers-là, sont dures à vendre.

Que le type au bébé sur le bras veut déménager pour aller s'installer ailleurs, dans un quartier plus agréable, plus loin du centre.

— Je descends.

Au pied de l'escalier, le plombier parle d'une voix forte avec le type au bébé sur le bras. Plus de bébé. Il doit certainement dormir dans la salle à manger. Le plombier a remballé ses outils. Posé la boîte près de la porte d'entrée. Ils s'écartent l'un de l'autre — physiquement — quand j'arrive au bas de l'escalier. Le noir s'est retiré de nouveau dans l'obscurité du living et l'homme à la boîte à outils se tient près de la rampe. Il me regarde descendre.

— Alors, la maison vous plaît ?

Je note une fois de plus à quel point les casquettes de base-ball sont craignos. Il fait un geste en direction de l'autre homme.

— Vous avez des questions à lui poser ?

Quand il dit cela, l'ombre du living disparaît dans l'obscurité.

— Non, en fait, je voulais seulement connaître le prix.

Le plombier dit :

— Faites-moi une offre. Mais autant que je vous dise que ça fait tellement d'ennuis que ça ne vaut pas le coup. Depuis que la ville a annulé son accord avec la commission du logement, c'est devenu une galère d'être propriétaire dans le coin. Pourtant, vous avez vu que je l'entretiens bien. Vous voyez l'évier. Mais c'est perdu d'avance. Ils paient pas, les locataires, et comme ça n'est plus versé directement par l'aide sociale, on se retrouve le bec dans l'eau.

» Je vends. J'essaie de vendre, je devrais dire. J'en ai trois, des baraques, par ici. Je les vends toutes. Je devrais pas vous le dire. C'est pas mon intérêt. Mais je suis honnête. C'est plus fort que moi, je sais pas faire autrement. Vous avez vu l'évier.

— C'est vous le propriétaire de cette maison ?

— Le propriétaire de l'écriteau *A vendre*.

Je fouille des yeux les ombres du living.

— Alors c'est votre locataire ?

— C'était. Vous voyez comme il a bien décoré, depuis trois ans. C'est dommage, mais je vends. Il peut plus payer. Je suis dans la merde. C'est pas sa faute. Je suis dans la merde.

Je me penche vers lui.

— C'était quoi l'arrangement avec la commission du logement ?

— On était raqués directement. L'ancien commissaire avait obtenu une décision comme quoi l'aide sociale du comté envoyait directement les allocations chômage aux proprios pour le loyer. Sans passer par la case départ, vous voyez le genre. Ça nous faisait une garantie tous les mois. Maintenant ils l'envoient aux gens eux-mêmes. La plupart le boivent ou s'en servent pour acheter du crack.

Il se tourne vers le noir derrière lui.

— Pas lui, je sais bien. Mais la plupart. William, c'était le rêve. C'est pas sa faute. C'est la faute à personne. Rien n'est la faute à personne. Mais faut bien que je vous dise que c'est un mauvais investissement.

— Je pensais pas acheter pour investir.

— Ben pourquoi, alors ?

— Je pensais acheter pour habiter.

Le blanc me dévisage. Il tire sur la visière de sa casquette des Tigers, incrédule et curieux à la fois. Il est évident que ma présence est suspecte, serait impossible autrement. Et quand on vous considère d'une certaine façon, on finit parfois par se considérer de la même façon. Le sentiment naît en moi que je suis un groupe de promoteurs venus préparer un nouveau coup — acheter pour rien et louer pour quelque chose. Me voilà soudain propriétaire de taudis, taulier. Pour quelle autre raison au monde aurais-je franchi cette porte ?

Le blanc ôte sa casquette des Tigers, s'essuie le front.

— Je m'appelle Regg, il dit, tendant la main. Regg Presley. J'ai acheté cette baraque et les autres il y a cinq ans. Tout ça doit vous sembler dégueulasse, j'imagine.

Je balaie cette remarque d'un geste que j'ai appris, que j'utilise chaque jour pour balayer les remarques d'autres Presley, plus importants, plus riches.

Presley jette un coup d'œil vers la cuisine, remarque une clef anglaise qu'il a laissée sur la paillasse, retourne la récupérer. Avec un petit rire nerveux pour sa distraction, il ouvre sa boîte à outils, et, quand le tiroir métallique pivote sur ses gonds, je vois reluire un pistolet.

Il voit que je vois.

— Ben oui. Mais je m'en sers pas. J'ai encore jamais eu à m'en servir. Mais je viens ici encaisser les loyers et on ne sait jamais. Les gens sont dingues. Pas mes locataires, mais avec ce crack.

Il voit la façon dont je le regarde.

— Écoutez, je m'occupe bien de mes locataires. C'est la faute à personne, tout ça. Je viens réparer leurs gogues quand ils sont cassés. Pour la plupart, ils le feraient pas eux-mêmes. Ils laisseraient tout barrer à vau-l'eau. Ils peuvent vivre comme ça, ça fait peine. Comme je vois les choses, je fais une bonne action — ces gens-là ont pas les moyens d'acheter. Ils ont pas les moyens de rien du tout. Et je demande un loyer raisonnable. C'est pas ma faute s'ils savent pas tenir un budget. C'était pour eux que c'était plus facile quand le fric venait directement de l'aide sociale. Ils avaient pas à s'en faire pour le loyer tous les mois. Ça les empêchait d'acheter du crack.

Il me regarde.

— Je répare moi-même leurs gogues, mon petit monsieur, moi-même.

Un coup d'œil à sa montre, un juron. Il va jusqu'au téléphone et appelle quelqu'un.

Je reste dans le vestibule.

Dans le living, l'ombre s'est rematérialisée, se découpe comme un nuage sombre sur un ciel plus sombre encore, reste à distance, mais ne va nulle part. L'homme au bébé sur le bras.

Presley revient en trombe.

— Je me sauve.

Il me serre la main, empoigne sa boîte à outils, dit à l'ombre qu'il reviendra la semaine prochaine pour tout régler.

La maison s'installe alors dans un silence qu'elle semble produire elle-même. Je regarde le noir dans le living-room sans savoir que dire, sans savoir à qui je parlerais.

— Je suis prêt à répondre à toutes vos questions.

Il s'exprime d'une voix claire, triste, qui donne l'impression qu'il a reçu une formation pour parler clairement – que quelque chose, on ne sait quoi, l'y a obligé.

– Je connais la maison. Mr. Presley est propriétaire, mais moi je l'habite. Je connais la maison et le quartier. Si vous avez des questions, n'importe lesquelles...

Je regarde une enveloppe qu'on a laissée sur le pilier de la rampe de l'escalier.

– C'est vous... William Banner ? je demande, timidement.

– Oui, je vais la prendre.

Il vient dans la lumière. Je lui passe l'enveloppe. Il la regarde, étire un peu la bouche, secoue la tête, et la met dans sa poche de poitrine. Je vois le sigle de Ford au passage.

– Je vous offrirais bien quelque chose à boire, mais ma femme est sortie.

Je ne comprends pas très bien la signification de cette remarque, mais je n'ai pas envie de boire.

– Vous habitez ici depuis longtemps ?

– Oui, trois ans.

– Et vous vous plaisez ici ?

– Oui, je m'y plais. Dans mon idée, c'était provisoire. Fonder un foyer ici et puis trouver quelque chose de plus permanent, avec plus d'espace. Vous savez, de meilleures écoles. C'était ça, l'idée.

– C'était ?

William Banner sort l'enveloppe de sa poche de poitrine, puis la place dans sa poche revolver, avec son portefeuille.

— C'est ça.

J'attends quelques secondes, mais il n'a pas l'air de vouloir en dire plus, pourtant, ce n'est pas sûr — il ne s'est pas éloigné de moi.

— Qu'est-ce qui s'est passé ? je finis par demander.

— Ce qui s'est passé ? il dit doucement.

Il sourit, secoue la tête, fait un bruit avec la langue.

— Il s'est passé ce qui se passe.

Il baisse les yeux sur ses pieds, les relève.

— « Dernier embauché, premier débauché », je crois que c'est comme ça qu'on dit. Chez Ford. J'ai reçu une formation comme petit cadre de direction, je travaillais en ville, et puis ils m'ont même envoyé dans les bureaux de Birmingham, en banlieue. C'est là qu'il y a eu les réductions. J'avais trois ans d'ancienneté, mais c'est rien. Ça donne droit à aucune indemnité, trois ans d'ancienneté, ils donnent rien du tout. J'avais quelques sous de côté, et ma femme travaillait comme vendeuse aux grands magasins Hudson. Et puis son rayon a fermé.

» J'espérais trouver une place ailleurs, mais on débauchait partout. Petit cadre de direction, qu'est-ce qu'on sait faire ? Y a pas de boulot. De toute façon, y a pas de boulot. J'ai cherché des places de veilleur de nuit. Y en a pas. Ma femme travaille un peu, elle garde des enfants, les enfants des autres. Elle voulait essayer de trouver une place de femme de ménage — de bonniche. J'ai dit pas question. Absolument pas question. Maintenant je touche même plus le chômage. J'ai écrit à Ford, j'ai écrit des lettres. »

Il tâte sa poche revolver.

— C'est la réponse. J'ai pas besoin de la lire.

— Il vend la maison pour vous mettre à la porte ?

William Banner secoue la tête.

— Il ne met personne à la porte. Quand le proprio est venu poser son écriteau *A vendre*, je lui ai dit : « Pourquoi vous ne me la vendez pas à moi, c'est ma maison ? Faisons une location-vente avec l'argent du loyer. » J'aurais pu obtenir un prêt hypothécaire, il y a des arrangements comme ça avec la commission du logement — c'est bien ce qu'il avait fait, lui, pour commencer, il avait eu un prêt. Il a dit que mes allocations chômage allaient s'arrêter, que ça l'intéressait pas. Bon, il avait raison. Ça fait trois mois que je touche plus le chômage. Il avait raison.

Pendant qu'il parlait, une voiture s'est rangée dans l'allée, je l'ai entendue ronronner. La porte d'entrée s'ouvre. Je m'écarte pour laisser le passage dans le vestibule.

— Oh, excusez-moi...

C'est une jeune femme qui porte un manteau rouge et un béret. Elle ôte nonchalamment son manteau, le faisant passer d'une main à l'autre tout en maintenant en l'air le sac de papier blanc brillant qu'elle tenait en entrant. On a le sentiment que c'est une manipulation qu'elle fait souvent. Elle dit :

— Bonsoir.

Sa voix est charmante. Des yeux elle parcourt l'entrée, s'arrête sur mon visage, s'avance vers son mari.

— Bonsoir.

Elle l'embrasse sur la joue, passe dans la cuisine, pose le sac sur la paillasse, va dans le coin salle à manger pour regarder le bébé, retourne dans la cuisine, ouvre le sac et revient, portant une layette bleue.

— J'ai acheté ça en rentrant. C'était trop mignon, et c'était en solde. Moins cher que ça n'en a l'air. Et avec ce système de coulisse, ça lui ira jusqu'à deux ans.

Elle dit tout ça très vite, à voix basse, avec l'efficacité des messages intimes transmis dans une pièce pleine de monde.

Elle se tourne vers moi, sourit, puis de nouveau vers son mari pour une explication de ma présence.

— Ce monsieur est venu voir la maison.

Le sourire de la femme se fige. Il poursuit :

— Regg Presley était là tout à l'heure. Il a réparé le broyeur. Il a pu lui parler aussi.

— Ah, d'accord.

J'interviens :

— En fait, je venais seulement poser quelques questions, me renseigner. Ce n'est pas... Je déglutis. Je ne suis pas dans les affaires comme Presley. Excusez-moi de vous avoir dérangés comme ça. Je vais m'en aller...

— William, tu n'as rien offert à boire à ce monsieur ? Tu n'es vraiment pas poli. Voyons, qu'est-ce que nous avons...

— Non, non, je vous en prie, merci. Je m'en vais...

— Mais non, vous ne nous dérangez pas. Quelque chose de chaud, peut-être, il fait un froid terrible depuis ce matin, je suis sûre qu'il va se mettre à neiger d'une minute à l'autre. Nous avons du café, il reste un peu de Jack Daniels. Vous êtes dans l'immobilier ? Je sais que Mr. Presley est très pressé de vendre, il est sans doute prêt à baisser le...

» Vous avez l'air gentil, en tout cas. Je suis certaine que Bill et moi pourrons trouver un terrain d'entente avec vous. Vous avez l'air de quelqu'un de raisonnable. Mon mari a eu quelques malentendus avec son employeur, mais je suis sûre que d'ici quelques jours, tout va s'arranger. Nous adorons cette maison, nous n'en avons jamais eu de plus belle. Ça me fait plaisir que vous disiez que vous n'êtes pas dans les affaires, comme Mr. Presley, c'est bien ça que vous avez dit. Vous avez vu comme nous tenons bien la maison. Aussi bien que si nous étions propriétaires.

— Leah...

— Je crois que nous avons aussi du thé. Nous avons même du thé à la menthe...

— Leah, écoute-moi, ce monsieur pensait emménager lui-même.

— Ah bon ?

— Oui et non. La vérité, c'est que, je ne faisais... je passais en voiture dans le coin et j'ai vu l'écriteau et, comme ça, sur une impulsion, j'ai décidé de venir voir — voir, c'est tout.

Il y a un bref silence. Je me retourne. Le petit garçon à la maquette est en train de descendre l'escalier, il est venu nous surprendre, à pas de loup.

— Tu restes dans ta chambre, ou tu descends carrément, fils, dit son père. N'embête pas les gens.

Paul lève les yeux sur moi, rajuste ses lunettes, passe devant mes genoux et rejoint sa mère. Il lève le visage vers elle pour qu'elle l'embrasse.

Elle pose un baiser sur sa joue. Il part en direction du living, puis s'immobilise. Il lève les yeux sur moi, revient sur ses pas.

— Sarah Zimmerman, il dit en arrondissant ses deux mains devant sa poitrine et en les faisant aller et venir.

— C'est ça.

William et Leah Banner regardent leur fils, puis se regardent l'un l'autre, fronçant les sourcils.

— Bon, il faut vraiment que je me sauve.

Leah Banner se racle la gorge, prend son fils par la main, l'écarte de moi, sourit.

— Merci de votre visite, dit-elle, se rendant compte aussitôt qu'elle n'a aucune raison de dire ça.

J'ouvre la porte d'entrée, je remonte mon col, boutonne mon manteau, rajuste mon écharpe.

Au moment de franchir le seuil, je dis :

— Qu'est-ce que vous allez faire ?

— Je vais essayer de pas trop céder à la haine, dit William Banner.

Gâteau

Veronica dit que la seule raison pour laquelle elle boit des VO (vodka orange), c'est parce que c'est facile à retenir.

— Ben oui, c'est mes initiales, elle dit. C'est dingue que tu t'en sois jamais rendu compte. Quel genre d'ami tu fais ?

— Coup de tabac : je me pointe seulement quand ça sévit.

— Je suis pas sous sévice.

— Pas toi. Moi.

Elle fait ce truc avec sa bouche. Une grimace que font les filles dans l'adolescence, qui fait partie de l'équipement de leur sexe, un secret professionnel. Quand on a seize ans, ça veut dire ennuyée, quand on en a quarante, ça veut dire autre chose. Mais ce qu'on voit, c'est le charme, Veronica me prend à la glu avec ses yeux. Les yeux verts.

— T'es sous sévice ? elle dit, sérieuse.

Je ferme les yeux calmement.

— Non, tout va bien.

Ce bar est un cliché de lui-même — bois sombre, plafond bas, lumière tamisée et cuir, moquette et fumée de cigare.

Je dis à Veronica que la fumée de cigare est un élément essentiel pour poser le diagnostic des différents clichés de bar en Amérique. Ce que je ne lui dis pas, c'est que sa présence change tout ici. Quand on fait un compliment à Veronica, on se fait taper sur le nez. Je me demande si mes yeux disent tout, mais je crois que c'est plutôt une autre partie de moi-même : mon histoire — avant Veronica, avec Veronica, depuis Veronica. Il y a une espèce d'amitié qui éclipse l'amour, mais tout le monde sait qu'il est encore là, derrière vous. A la table d'à côté, derrière vous.

— Et alors, Paris ? elle dit.

Elle parle sérieusement. Elle disait que l'art de faire la conversation, les petits échanges sans conséquence, les banalités qui n'engagent à rien sont le dernier recours de l'humanité en déroute — que par le jour le plus noir de l'apocalypse, quand tout barre en couille, on peut toujours dire : « Bonjour, comment allez-vous ? » Ou : « Quel froid, aujourd'hui ! », pour se rappeler à soi-même l'espèce à laquelle on appartient et, à partir de là, recoller les morceaux. Sans compter, disait-elle encore, que de temps en temps on rencontre quelqu'un et qu'on aimerait bien savoir dans quel état il ou elle se trouve et que la façon la plus efficace d'en extraire ledit renseignement reste, même pour des gens incroyablement intelligents comme nous, de dire : « Bonjour, comment allez-vous ? »

— Paris va bien, je dis. Tu sais, c'est plein de Français.

Veronica allume une cigarette. Elle a toujours pris fait et cause pour ce qui abîme la santé. Il nous a fallu des années pour découvrir que, seule chez elle, elle se nourrit de légumes crus et suit en secret des cours d'aérobic.

Elle a longtemps été un cas limite, une recluse, vacillant au rebord d'une certaine folie morne, capable de rester chez elle pendant des jours, à écouter la radio, sans s'habiller, à lire, la vaisselle s'entassant ; les boîtes ouvertes d'aliments pour chats, les chats. Et puis elle a accepté l'offre qui lui était faite à New York et tout a changé.

Non que le milieu de la pub soit très différent à New York de ce qu'il était à Detroit — les besogneux y sont aussi besogneux —, mais c'était un changement d'atmosphère, loin de sa famille démentielle. Nous avions espéré qu'elle trouverait autre chose, une fois sur place, qu'elle laisserait tomber les paumés pour lesquels elle travaillait. Mais c'était compter sans la fidélité de Veronica. Sa propension à tout pardonner. Nous n'aurions pas dû, nous qui en avons profité toute notre vie.

Veronica dit qu'elle a commencé à nous pardonner quand on avait douze ans. Ça a débuté par l'histoire des buissons.

L'idée d'appeler une fille au téléphone était de Phillip, l'idée d'appeler Veronica était de moi. Veronica avait capturé mon cœur endormi au cours moyen. Ce fut son maintien, infime parcelle de calme (blond) dans le cyclone hurlant de chair humaine (la classe de miss Agerson) ; son maintien, et les nattes. On nous avait déjà collé l'étiquette de couple, et, bien qu'il soit difficile de dire ce que ça pouvait signifier à l'époque, quand suffisamment de condisciples disaient que c'était vrai, c'était vrai.

L'idée d'appeler une fille au téléphone était de Phillip, mais l'idée de l'inviter à un *apuntamento* au coin de la rue était de Bud. Bud démolissait la langue. Nous avions dû supporter pendant un an qu'il parle comme Holden Caulfield et, quand nous eûmes douze ans, ce fut l'italien. « Dis-lui *apuntamento* », il dit. Ce que je fis. Elle me demanda d'épeler.

L'idée d'inviter Veronica à un *apuntamento* au coin de la rue était de Bud, mais l'idée de l'inviter à un *apuntamento* et de ne pas y aller était de Rubinstein — le genre d'astuce que les imbéciles trouvent zen : faire arriver quelque chose dont on ne sera pas témoin. Il dit que ce serait comme d'organiser ses propres funérailles — on ne saura jamais.

Je crois que l'idée de pousser un peu plus loin la question zen était de moi — non seulement ne pas y aller, mais *nous voir ne pas y aller.* On avait douze ans. Tout le monde trouva ça ingénieux. On se cacherait dans les buissons et on se mettrait de la saleté partout.

Je donnai le coup de téléphone. J'épelai *apuntamento.* Je précisai l'heure et le lieu — un carrefour du voisinage entre chez elle et chez moi. Elle accepta. Ce fut seulement par la suite que je m'avisais que je n'avais encore jamais appelé une fille au téléphone. Nous attendîmes avec une feinte nonchalance. Nous nous roulions par terre de rire.

Nous étions tous chez moi parce que j'avais fini par fabriquer ma table de billard, ma première grande invention. Je m'étais servi des restes de la table sur laquelle mon frère avait installé son train électrique — une feuille de contreplaqué sur deux tréteaux — que j'avais recouverte d'une couverture. Des tringles à rideaux avec un bout de caoutchouc faisaient les queues, des balles de golf peintes — avec des rayures et unies — faisaient les boules. J'avais fait les bandes avec de la thibaude et accroché des boîtes de café sous des trous pour servir de poches.

Nous avions joué toute la nuit. C'était une fin de semaine. Phillip avait gagné parce que Rubinstein était paralysé par une coupe de cheveux ratée et que Bud dormait. Moi, je ne pouvais jamais participer à la moindre compétition, préférant la défaite au conflit. Les parents de Treese lui avaient interdit de sortir. Nous étions trop jeunes pour savoir ce qu'était la fatigue. Il nous restait une demi-heure à tuer après le coup de téléphone, nous la tuâmes en discutant des moyens de la tuer, puis sortîmes en trombe par la porte de derrière.

Les buissons choisis étaient ceux des Zimmerman — densité, capacité, proximité. Nous nous agenouillâmes. C'était l'automne. Les rires, montant et redescendant, se nourrissaient d'eux-mêmes — ce truc de la jeunesse, qu'est-ce qu'on s'amuse. Certains d'entre nous devaient déjà commencer à avoir honte.

Phillip avait une montre, nous saurions donc quand elle commencerait à être en retard, quand il faudrait se demander si elle allait venir. (Avais-je appelé pour de bon ou conversé avec une tonalité ?) La moitié d'entre nous pensait qu'elle avait vu clair dans notre jeu, l'autre moitié qu'elle n'avait tout simplement pas envie de venir.

Nous guettions le coin, à l'extrémité du groupe de maisons qu'elle allait longer. Sept minutes de retard, et il s'ensuivit l'inévitable hilarité résultant du rire retenu. Rots et pets. Nous ravagions les buissons des Zimmerman. Heureusement qu'ils étaient à la campagne, ils accuseraient un chien du voisinage.

Un facteur s'amena et nous vit. « C'est pour la caméra invisible », lui dit Bud. Il parut gêné. Ce fut la première fois où je me rendis compte qu'il est pire de surprendre que d'être surpris.

Phillip dénicha un journal roulé dans la terre, déclenchant ainsi l'inévitable séance de coups sur la tête.

Deux voitures passèrent.

Nous savions tout et Veronica ne savait rien. Voilà ce que nous pensions dans les buissons des Zimmerman. Pourtant, à mesure que les minutes s'écoulaient parmi les faux hoquets et les imitations de Bullwinkle, je fis connaissance avec la culpabilité. Coupable à l'avance. Il s'avéra que je n'aurais pas dû prendre cette peine.

Il s'avéra que, pendant que nous nous dissimulions dans les buissons devant la maison des Zimmerman en attendant de l'humilier, Veronica avait déjà commencé à nous pardonner. La raison de son retard était qu'elle avait rassemblé toutes ses économies afin d'aller acheter le sac de cuir verni pour lequel elle mettait de l'argent de côté depuis un an. Elle avait fait quelque chose qu'elle n'aurait normalement jamais fait : il lui manquait cinquante cents et elle était allée trouver son père pour lui demander de les lui avancer sur son argent de poche. Il n'avait qu'un billet de un dollar. Veronica alla chercher la monnaie dans sa tirelire, mit sa plus belle robe, le maquillage qu'elle avait répété depuis des mois dans sa chambre et alla jusqu'à la boutique. Mais elle avait oublié de prendre en compte les taxes. Ce ne fut pas tant l'humiliation d'avoir à retourner trouver son père pour lui demander le reste de l'argent que l'humiliation de ne pas avoir pensé aux taxes. Elle promit de gagner cette somme en s'acquittant d'un certain nombre de corvées — qu'elle ferait la vaisselle et débarrasserait —, puis elle retourna acheter le sac. Elle s'efforça de ne pas courir pour ne pas déranger sa coiffure. Elle se hâta calmement jusqu'à l'*apuntamento* et attendit au coin de la rue, son sac neuf à la main, comprenant un peu plus à chaque minute que personne ne viendrait. Elle dit par la suite que, dès ce moment, alors qu'elle mourait à l'intérieur, elle savait qu'un jour nous aurions honte, se demandait si nous n'avions pas déjà honte. Elle dit qu'elle avait décidé sur-le-champ de commencer à nous pardonner.

S'il est vrai que la sainteté reste bienveillante à l'égard de ceux qui le méritent le moins, Veronica ferait une bonne sainte. Si elle fumait moins.

— Jack et moi, on va se marier, elle dit. Je crois que je te l'ai déjà dit.

Je voudrais dire : « Tout ce que tu voudras du moment que ça te rend enfin heureuse. » Mais il y a des choses que j'ai du mal à dire à haute voix.

La serveuse s'amène, la même que j'ai vue dans tous les bars de ce continent. Je secoue la tête à son approche, geste négatif qui signifie que nous n'avons besoin de rien.

— Tout ce que tu voudras, du moment que ça te rend enfin heureuse, je dis.

Veronica est un peu gênée, maintenant, mais chez elle, c'est beau — ça lui va bien.

Parce que, alors même qu'elle est très jolie, indiscutablement, quelque chose fait que le pantalon de Veronica est toujours un peu trop court. Cela a longtemps été un sujet de discussion entre nous tous, les autres. C'est un problème métaphysique, ça a à voir avec la colère des dieux. On dit que les Indiens d'Amérique laissent toujours un défaut dans leurs poteries, de manière à ne pas contrarier les dieux. Libre d'agir à sa guise, Veronica ne contrarierait jamais personne, et il vaut mieux laisser Veronica libre d'agir à sa guise.

Je sais que j'ai Amour dans les yeux, mais plus encore Amitié. C'est quelque chose de plus fort. Ça rouille moins. C'est dans ses yeux aussi. Quelque part dans ce bar ringard, ça s'agite et ça mousse, en secret, à l'intérieur des gens. Veronica avait coutume de dire que la peur, c'est comme d'être enfermé dans une machine à laver remplie d'eau glacée, et je lui répondais que l'amour c'était pareil, sauf que l'eau est bouillante. Et puis il y a l'amitié. C'est comme de tourner dans une machine à laver, sauf que l'eau est exactement à la bonne température et que le couvercle est ouvert.

— Tout ce que tu voudras pourvu que ça te rende enfin heureuse, je répète. Il y a des gens qui ont le droit d'être enfin heureux. Toi, tu aurais même le droit de prendre des raccourcis.

Elle a eu sa part. J'ai été surpris quand elle m'a appelé il y a quinze ans pour me dire que sa mère avait tué son père à coups de revolver.

C'était avant mon départ pour la France. Je vivais avec Bud, dans la maison que Rubinstein avait achetée pour investir. Cela faisait un an que Veronica avait rompu avec moi, six mois que j'avais compris que c'était de la légitime défense.

Le téléphone avait sonné à minuit. Elle avait demandé si elle me dérangeait.

— Ma mère vient de tuer mon père avec un 357 Magnum, elle avait dit. Elle attendait qu'il rentre. Il n'est pas allé plus loin que le vestibule. On pense que c'est la dernière balle qui l'a tué.

Elle semblait calme. Elle a dit que ce n'était pas une surprise totale — il y avait eu des années de paranoïa, d'actes obsessionnels. Elle espérait que ça n'aurait aucune influence sur notre propension à raconter des blagues sur la mort. Elle avait demandé si ça ne me dérangeait pas d'appeler Rubinstein pour le prévenir — il fallait encore qu'elle s'occupe de ses sœurs. Il avait décroché à la première sonnerie, écouté mon récit en silence au bout du fil. Puis il y avait encore eu un long silence, au bout duquel il avait fait un petit bruit réprobateur avec sa langue, avant de dire : « Décidément, ces gens-là ne savent pas se tenir. »

— Pourquoi tu regardes pas ta montre ? je dis. A New York, tout le monde est toujours en retard pour le rendez-vous d'après. Tu vas essayer de me dire que toi, c'est pas pareil ? Un homme de ton importance ?

— Un homme ne pourrait pas être de mon importance, dit Veronica.

Et voilà sa tête qui se penche, sa façon de pencher la tête comme pour s'excuser timidement d'avoir fait une remarque pourtant très drôle.

(J'ai vu un mauvais film l'autre jour. C'était censé

être émouvant. J'ai rigolé tout du long. À la fin, pourtant, une vedette masculine à la con prenait dans ses bras la vedette féminine à la con pour la dernière fois, et je me suis retrouvé en larmes. Parce qu'on se rappelle ce que ça fait d'avoir ses mains sur le dos de quelqu'un qu'on aimait autrefois quand on savait que c'était pour la dernière fois, là aussi.)

Veronica se redresse soudain sur son siège. Elle pose les mains dans son giron et son sourire se crispe comme une huître sur sa demi-coquille quand le citron la mord. J'ai déjà vu ça, je l'ai vue fuir vers l'intérieur, sous sa peau, à travers ses muscles, jusqu'à l'os, jusqu'à cette zone obscure de l'âme où l'on ne regarde pas vers le dedans mais vers le dehors.

Quand elle fait cela, il faut la laisser partir. On dit que tout le monde a ainsi un endroit où il se retire et où nul ne peut le suivre. Je le crois, mais je crois que, chez certains, on trouve le même mobilier. Quand Veronica part pour le sien, je tente de l'accompagner, et quand il devient manifeste que je ne peux pas, je fais semblant de l'avoir emmenée chez le dentiste, j'attends qu'elle ressorte. Il m'arrivait certaines fois d'attendre toute la nuit.

Veronica se fraie un chemin à travers le monde. Le monde dont elle pensait qu'il était un ami. C'est pourquoi nous, les autres, faisons tout le contraire, dit-elle.

Nous pensons que nos amis sont le monde. Elle dit que ce n'est pas vrai. Mais qu'ils sont ce qu'il y a de mieux dans le monde.

Voilà qu'elle hausse les épaules. Le haussement d'épaules de Veronica, ce sont des choses comme ça. Sous la plaque de rue, au coin, devant la maison des Zimmerman, quand on avait douze ans, elle a haussé les épaules aussi. En regardant tout autour d'elle, en se rendant compte que nous ne viendrions pas — un haussement d'épaules avec un petit sourire gêné. Je me rappelle. Dans les buissons, quelqu'un a eu le cœur dans les dents.

On dit que les gens ne changent pas. Veronica possède la même bonté qu'elle a toujours eue. Et dans ce bar à la con, plein de juristes, la bonté est une denrée rare, comme tout ce qu'on ne peut pas voir.

Elle remue le pied, celui qui est au bout de la jambe dont elle a croisé le genou, et dit :

— Je crois qu'il va vraiment falloir que je...

Alors je lui demande, comme ça :

— Tu t'es fait des nouveaux amis, ici ?

Il y a un truc pour poser les questions terrifiantes, on sirote une gorgée de son verre immédiatement après avoir prononcé les mots.

Ses sourcils se soulèvent.

— Jack a des amis ici, datant de son premier séjour. Ils sont sympas. Tu les as rencontrés.

— C'est vrai. Ce dîner, là. Ils sont sympas.

— De toute manière, tu me connais. J'aime être seule.

Les Américains hochent beaucoup du chef. C'est ce que je fais, là, justement.

— Évidemment, elle dit, ce n'est pas comme quand il y aura du gâteau.

— Du gâteau ? Comment ça ?

— Tu sais, comme à l'école primaire. Quand on fait la connaissance d'un nouveau, quelqu'un dont on se dit que ce sera peut-être un ami.

» Le lendemain matin, quand ta mère te réveille, pour une fois, tu n'es pas furieux. Pour une fois, tu meurs d'envie d'aller à l'école. Parce que c'est comme s'il allait y avoir du gâteau.

Pain grillé

Il y a deux clowns qui s'engueulent dans l'appart de mon oncle — des clowns à l'européenne, le clown blanc et l'auguste. C'est une retransmission de Monte-Carlo — le quelque chose annuel du quelque chose international du cirque. Le clown blanc porte des ballerines et des paillettes; l'auguste, un costume trop grand, des grolles gigantesques et un gros nez rouge retenu par une bande élastique. L'élastique est bien visible autour de sa tête. C'est sur la chaîne de télévision publique.

Apparemment, l'auguste a volé la trompette du clown blanc et le clown blanc ne sait pas où elle est. L'auguste va et vient entre le clown blanc et l'entrée de la piste. Il a posé la trompette par terre. Le clown blanc braille : « Où est ma trompette ? », et le public gueule à son tour : « Derrière toi ! » Mais chaque fois que le clown blanc se tourne pour regarder, l'auguste est justement devant le cornet posé par terre et le cache avec ses gros souliers. Le clown blanc se retourne vers la foule et vocifère : « Mais où est ma trompette ? », et le public réplique en hurlant : « Derrière toi ! » Le clown blanc est de plus en plus furieux. Chaque fois qu'il interroge le public, la réponse est la même, toujours la même : « Derrière toi ! »

Sur la table de la cuisine, il y a les restes du marathon pain grillé d'hier soir, et, partout dans la cuisine, la cellophane des emballages du pain de mie Wonder Bread. Je n'aurais pas cru que le Wonder Bread existait encore, convertis que nous sommes désormais aux bonnes choses de la vie — les trucs faits maison, la farine complète, les bienfaits du son. Ils ont gardé leur vieux slogan : « *Cherchez les ballons rouges, jaunes et bleus sur l'emballage. Douze façons de construire un organisme solide.* » A la fac, on nous racontait que Wonder Bread visait à dominer le monde en se servant de la levure, que les rats de laboratoire refusaient d'en manger. Hier soir, c'était délicieux.

Le marathon pain grillé, c'était ce qu'on faisait chez Treese, du temps du lycée, quand on restait tous dormir dans sa maison. Ses parents possédaient un grille-pain qui était une véritable antiquité et faisait partie de l'héritage familial. Je me rappelle que Treese disait qu'un jour il lui appartiendrait pour en faire ce que bon lui semblerait. C'était un truc qui valait de l'argent. Et qui fonctionnait encore.

Le marathon pain grillé remplaçait la bagnole, pendant l'année infernale qui précédait le permis, condamnés à rester à la maison toute la soirée, à laisser les filles aux mecs de terminale. Impuissants, couillons, déprimés.

Les parents de Treese étaient des gens stricts — sa mère était proviseur de lycée —, mais leur maison était vaste. On y allait le vendredi soir — Robert, Veronica, Phillip, Bud et moi — et on attendait comme des petits saints que les parents aillent se coucher, on ressortait alors en tapinois jusqu'au supermarché ouvert toute la nuit pour y acheter le Wonder Bread qu'on revenait griller, griller, griller jusqu'au matin. Ceux d'entre nous qui ne tenaient plus le coup allaient se coucher, les autres ouvraient une nouvelle miche, et tout le monde se réveillait et revenait dans la cuisine tout au long de la nuit, pour voir qui d'autre n'arrivait pas à dormir. On adorait être ensemble, on aimait ça d'amour. C'était une passion. Elle se manifestait dans les marathons pain grillé. Comme tout le reste.

Quand j'ai vu le nom de Tommy Edde sur la liste des occupants de l'immeuble de mon oncle, je n'en ai pas cru mes yeux. Combien de Thomas Edde peut-il y avoir dans la banlieue de Detroit ? Et dans le même immeuble que mon oncle ? Il est vrai qu'il y a des gens qui deviennent leurs oncles un jour ou l'autre. Ou l'oncle de quelqu'un d'autre.

Mon oncle habite ici. Il a emménagé dans cet immeuble quand ma tante est morte — c'était son idée d'une nouvelle vie. On dit qu'il y a plus de juifs dans la tour sud, mais ça n'existe pas, plus de juifs. Les parents de Phillip ont eu un appartement ici pendant un an avant de partir pour Miami. Il est normal que les enfants qui héritent les valeurs de leurs parents, sans jamais s'être battus, ou qui n'ont combattu que pour la forme, choisissent de vivre ici. Les tours de North Park sont le bastion de l'élégance à bon marché à la périphérie d'une Detroit moribonde. Nous nous y sentons bizarrement chez nous.

Nous n'avons jamais compris ce que Treese pouvait bien trouver à Tommy Edde. Ils firent connaissance à l'occasion d'un concours de chant au bahut, un de ces trucs qu'on organise pendant la première année du grand lycée dans une cafét'. Tommy avait fait le petit lycée dans un autre établissement. C'était manifestement une vedette. Nous l'avions repéré dès la première semaine — l'assurance avec laquelle il traversait le hall, son élégance à la con, l'abondance de ses chemises de madras. Quand il est entré en scène avec sa guitare pour le concours, les filles de son bled se sont mises à pousser des cris perçants — ironiques, les cris, mais des cris perçants quand même. Il avait les cheveux qu'il fallait pour ça. Je crois que ce fut *The Sound of Silence* qui fit le plus de ravages. A sa décharge, il ne s'attarda pas, bien en vue près de l'estrade, avec une grimace méprisante quand Treese monta à son tour pour chanter *Si j'avais un marteau*. Après le spectacle, nous les vîmes qui bavardaient tous les deux, les observâmes depuis le buffet, en train d'échanger des tuyaux sur les techniques de jeu, les accords. Aucun d'entre nous ne jouait de guitare. Nous étions jaloux. Il avait trouvé un nouveau copain. C'était peut-être parce que Tommy Edde était tout ce que Treese n'était pas — les choses qu'il méprisait et idolâtrait : la béatitude des simples d'esprit, pitoyable et enviable pour ceux qui sont trop malins pour leur propre bien ; et la beauté — il était beau, Tommy Edde, et Treese l'admirait comme une statue —, admirable parce que admirée, mais avec qui on ne changerait pas de place. Seulement Treese aurait bien changé de place avec Tommy Edde. Il était trop malin pour son propre bien.

Ils formèrent un duo. Ils jouaient devant les assemblées lycéennes, dans les salles des fêtes et les buvettes paroissiales. Treese était relégué à chanter la deuxième voix parce que Tommy Edde manquait de la concentration nécessaire — il adressait des clins d'œil au public même pendant les chansons engagées. Nous y allions, pour ricaner. Il nous avait pris notre ami. Et il se tapait toutes les nanas.

Naturellement, il y eut une Jennifer. Elle avait les cheveux blonds et raides, les yeux bleus et vides qui caractérisent toutes les Jennifer — le sourire de Mona Lisa et le frangin gangster. Elle s'exprimait comme une extra-terrestre.

— Ton solo de guitare de *Living on an Airplane* était d'une chatoyance mentale, dit-elle à Treese.

Ce fut pris comme un compliment. Ils bavardèrent pendant des heures. Tout le cosmos y passa. Au milieu de la deuxième année de lycée, le frère de Jennifer fut tué par une bande de truands, à coups de pied, sous une bagnole. Treese la consola. Il y eut de longues promenades et des heures au téléphone. Et chaque soirée se terminait par un tendre baiser sur la joue de Treese, un coup de poignard, et il regardait sa chevelure s'éloigner quand elle partait. Tommy Edde la sautait depuis le concours de chant.

Il leur tenait la chandelle. Il disait que Tommy la

méritait plus que lui — il était léger, joyeux, ne comprenait pas certaines choses, ne voyait pas plus loin que le bout de son nez —, et c'était bon pour Jennifer. Léger, joyeux. « Jennifer et moi on est vraiment amis, et, au fond, l'amitié c'est plus que l'amour. » Il était trop bouffé vivant pour voir la vérité : que l'amitié est plus que l'amour. C'était une déformation, une torture, il se déformait, se torturait lui-même, et il le savait. Il disait que, si l'on comprime suffisamment tous ses ressorts, on se détend forcément un jour, en lâchant tout.

Il est mort il y a deux jours.

Nous étions tous revenus à Detroit pour la fin — Robert, Veronica, Bud, Phillip —, l'un après l'autre, des différents endroits que nous habitons maintenant. Ça semblait une question de jours, et, bien que personne ne le sût au juste, nous sommes tous revenus le même jour. C'est quelque chose qui est compris, je l'avais déjà vu quand mes grands-parents sont morts. On sait, c'est tout.

Je suis arrivé avant les autres. Mon oncle a dit que je pouvais m'installer chez lui — il est en balade dans les Adirondacks pour un séminaire de retraités, il donne un cours sur l'histoire des juifs dans l'Amérique du XXᵉ siècle. (« Le sujet, c'est nous, notre propre histoire, mais il faut quand même qu'on achète le bouquin ! »)

Jane avait convaincu Treese de revenir à Detroit. Ils avaient tant subi — la chimio, la moelle osseuse, les médecins et leurs euphémismes ; le régime alimentaire, la thérapie par visualisation, les médecins « différents » et leurs euphémismes. Quand le traitement différent avait échoué à Houston, ils s'étaient dit qu'un hôpital en vaut un autre et ils avaient choisi Detroit. New York était devenu trop triste. C'était à New York qu'il avait entendu pour la première fois le diagnostic de maladie de Hodgkin. 90 % de guérisons, on lui avait dit. Le traitement était doux — il ne vomissait qu'une fois par jour —, et, après la dernière séance de chimio, nous étions tous sortis ensemble pour boire le champagne, et ils étaient partis attendre la bonne nouvelle à Martha's Vineyard. Ils racontaient que le concierge de l'hôtel qui les observait pendant qu'ils ouvraient la lettre semblait savoir quelque chose. Ces mots dactylographiés : *Nous sommes au regret...*, puis : *Dans l'analyse de certaines cellules atypiques, la certitude du diagnostic n'est jamais absolue*. Comment ça ? Et brusquement tout reprendre depuis le début — encore des médecins distraits qui sont sûrs de tout, ne promettent rien et sont terriblement pressés. Est-ce que je vais mourir ? Et l'odeur. Nous en saurons plus quand nous aurons les résultats des derniers examens. Comment ça ? Cela dépend de l'examen. Mais si jamais... ? Nous le saurons quand nous aurons reçu les résultats des derniers examens. Est-ce que je vais mourir ? Nous en saurons plus après. Vous saviez que c'était la maladie de Hodgkin quand vous avez reçu les résultats des derniers examens, et puis ce n'était pas vrai. Excusez-moi, le téléphone.

Un jour, à Detroit, ni Jane ni Treese ne surent plus exactement pourquoi il était à l'hôpital — ce qu'il restait en lui à traiter. Mais on va à l'hôpital — c'est ce qu'on fait. Jusqu'à la fin.

Treese a tourné le dos à tout le monde vers la fin. Sans méchanceté — il disait que c'était simplement parce qu'il ne pouvait pas être arrangeant et mourir en même temps. Tout le monde comprenait. Moi, je ne sais pas pourquoi il a continué de m'accepter, et il y avait Jane. Je ne sais pas exactement pourquoi, il a continué de m'accepter — peut-être parce que nous avions été nihilistes ensemble en terminale, une phase, comme ça. Et puis je connais des tas de blagues. Ce fut plus facile pour moi que pour les autres — moins de choses horribles à imaginer seul.

J'étais allé avec lui à Houston plusieurs mois auparavant. C'était la tentative de la dernière chance après l'échec de six mois de chimiothérapie, et, quand la moelle osseuse avait échoué elle aussi, il avait été obligé de se plonger dans l'étude désespérée des solutions de rechange — nauséeux, chauve et brûlé, courbé sur un tas sans cesse renouvelé de brochures et de prospectus, grommelant, sans arrêt : « Je ne veux pas crever comme un chien. »

Il me demanda :

— Tu me tuerais si je te le demandais ?

— J'en saurai plus quand j'aurai le résultat des derniers examens, j'avais répondu.

Nous n'en avions jamais reparlé. Cela passait entre nous en mots à l'emporte-pièce et en regards à la dérobade. Jane nous observait, comprenait, ne disait rien. Je parvins à me procurer ce dont j'avais besoin auprès d'un ami médecin. Je le pris avec moi dans l'avion de Detroit, dans une petite boîte de *Fritos*. Je le laissai chez mon oncle, puis partis pour l'hôpital.

Il était allongé sur le flanc, en tee-shirt et en caleçon, les draps pendant du lit, entortillés, les jambes tordues. Aucune partie de son corps ne semblait aller avec les autres parties. Il a tourné les yeux le plus loin possible pour me voir sans bouger le reste de la tête. Il avait la peau verte. Il a murmuré quelque chose, mais je n'ai pas saisi. Ce n'était pas bonjour.

— Pardon ?

— Tu as toujours le médicament qui tue ?

On se dit : il y a des façons de se tenir ici, un endroit où on peut mettre ses mains. Faire semblant d'être à l'aise et au bout de quelques minutes peut-être qu'on le sera. Être à l'aise exprès, sur commande, apprendre à le faire. Léger et joyeux. Mais on regarde l'horreur et on improvise.

— Tu es en train de crever comme un chien, j'ai dit.

— Est-ce que tu as toujours le médicament qui tue, Rubinstein ?

— Tu es sérieux ? Tu en es sûr ? Tu me le jures ?

Il y a une grimace, une espèce de sourire, un truc de lutin, qui signifient que Treese réfléchit. Seulement son visage ne pouvait plus, désormais. Je me suis demandé s'il s'était évanoui. Il murmura quelque chose. J'ai fait un pas en avant, lentement. J'avais peur de ce que risquait d'être son odeur.

— Sur ma propre tête, il a dit, il a ri, puis il s'est évanoui.

Jane est entrée. Elle bavardait avec quelqu'un dans le couloir. Elle m'a regardé et elle a souri — le sourire triste de Jane. Elle m'a fait signe de la suivre dans le couloir. Nous avons parlé quelques minutes du testament.

Je suis allé boire un café.

Quand je suis revenu, Treese était installé dans un fauteuil roulant, les yeux sombres. Il y avait une femme d'environ cinquante-cinq ans, debout près du lit. Elle tendit quelques brochures à Jane, inclina la tête et sortit. Elle était vêtue avec élégance pour quelqu'un qui porte son nom sur un badge.

— Elle est de l'administration, dit Jane. Ils ont donné de la morphine à Treese. Ils ont hum...

Son visage essayait de sourire, elle faisait un si grand effort.

— Ils disent qu'il peut rentrer à la maison! Et on a aussi une ordonnance pour de la morphine! des suppositoires!

Elle fouillait dans son sac, en a tiré un papier.

La tête de Treese a bougé. Il essayait de dire quelque chose.

Je n'ai pas pu non plus.

Nous l'avons ramené chez lui dans le fauteuil roulant. Il a été secoué dans l'allée. Les marches du perron furent épouvantables. J'ai poussé le fauteuil à travers le salon, la chambre, jusqu'au lit, et, quand je l'ai pris dans mes bras et que tout son corps a tremblé, Jane a crié doucement.

Après que j'ai posé Treese sur le lit, Jane m'a tendu l'ordonnance. J'ai plié le papier et l'ai mis dans ma poche, et suis sorti sans me retourner.

Je les ai laissés ensemble dans la chambre, je suis allé à la cuisine et j'ai fait semblant de chercher du café. À travers le mur, j'entendais Treese.

— Regarde-moi, il disait. Comment vas-tu dormir près de moi maintenant, hideux comme je suis ?

Les portes de la penderie étaient des miroirs, près du lit, il devait s'y être vu.

— Tu n'es pas hideux, Jane a dit.

— Si — ma peau, mes bras...

— Ta peau est pâle, c'est tout, voilà. Et toutes ces marques — ce n'est pas ta peau, c'est des marques. Et même si c'était ta peau, ça ne fait rien.

J'ai entendu qu'elle se mettait à pleurer.

— Dorénavant, c'est la peau qui sera belle à mes yeux. Et les marques, et l'enflure — la peau meurtrie et enflée, c'est ce que j'aimerai dorénavant. Et la couleur de tes mains et de tes chevilles à cause de la chimiothérapie et là où les rayons t'ont brûlé — c'est une jolie couleur.

Elle s'étranglait.

— A partir d'aujourd'hui, tout ce que tout le monde trouve beau, les danseurs, et les bébés, et les yeux clairs et ces joues et ces nuques lisses. Et toi — comme tu étais avant, ta jeunesse et ta santé, tout ce que tu n'es plus maintenant, oh, mon dieu, Treese, tout ce que tu es est ce qui sera beau à mes yeux — tout ce que tu es, et même la mort sera belle si c'est toi qui meurs.

Le pharmacien était un sale con. La signature n'était pas conforme. Il a fallu que je retourne en bagnole jusqu'à l'hôpital, que j'attende qu'on appelle le médecin, qu'il signe de nouveau. La circulation était infecte. Je n'arrivais plus à me rappeler la signification des feux.

Quand je suis entré dans l'appartement de mon oncle, le téléphone sonnait. C'était Jane. Elle m'a dit que le médicament qui tue ne servirait plus à rien.

Nous sommes sortis du salon funéraire ensemble, tous. J'ai emmené les autres à l'aéroport. Sur le chemin du retour, je me suis arrêté dans un supermarché, je suis allé droit au rayon du pain.

Sur la table de la cuisine, ce matin, il y a les restes de la soirée. Un grille-pain, du beurre, des miettes. Il y a du pain brûlé partout, en petites piles, empilées par moi, seul jusqu'aux petites heures du matin, petit cimetière de charbon sur la table de formica de mon oncle.

Je ne nettoierai rien. Je laisserai les choses comme elles sont, dans l'espoir que cela fera redevenir les choses comme elles étaient.

Mais non.

Les clowns ont disparu de la télé. Il y a un documentaire sur les vaches maintenant. Rumination.

Il pleut. Je regarde par la fenêtre de l'appartement de mon oncle, cherchant à concentrer mon regard pour voir les gouttes, puis, entre les gouttes, ce qu'il y a à l'extérieur. On ne voit pas la pluie tomber — l'eau, sur le carreau, s'y multiplie à partir de rien. Les gouttes couvrent le verre, transformant tout ce qu'il y a dehors en peinture tachiste, quelque chose vu à travers la porte d'une cabine de douche, tout n'est que brouillard.

Mes bagages sont faits. Cet après-midi je serai parti, soudain déplacement dans l'espace. Je quitterai l'appartement de mon oncle, et dans l'appartement il y aura un trou dans lequel quiconque pourra entrer — n'importe qui. Seulement le trou ne changera pas. Il gardera toujours la forme de celui qui l'a quitté. Il y a un trou qui a la forme de Treese. Il y a un trou ici.

Treese ne disait jamais bonjour. On entrait dans une pièce, on ne l'avait pas vu depuis une journée, un an, et il continuait tout simplement de faire ce qu'il faisait — parler au téléphone, écrire une lettre. On se sentait toujours mal — on se demandait : « Qu'est-ce qu'il lui prend ? Qu'est-ce que j'ai encore fait ? » — et on faisait semblant de rien pour la millième fois. Puis il interrompait soudain ce qu'il était en train de faire et venait vous prendre dans ses bras.

Il y a une cassette dans ma poche — Treese et moi,

chantant des berceuses pour la première fille de Phillip. Elle venait de naître. Nous l'avons enregistrée chez lui, dans sa cuisine, ça nous a pris quatre heures. Impossible de garder notre sérieux. Toute la cassette est faite de trois vers d'une chanson, puis d'éclats de rire.

Est-ce que c'est nous, ou est-ce qu'il y avait plus de tonnerre qu'il n'y en a aujourd'hui ? Du tonnerre terrifiant, assourdissant. Ils nous disaient que c'étaient les anges qui criaient, mais ils mentaient. Aucun cri ne fait ce boucan. Et aucun ange ne ferait jamais ça à des enfants. Nous ne le savions pas à l'époque. Tout ça n'est que de la peur. Là, de l'autre côté de la rue, ce trottoir là-bas. On allait attendre là-bas qu'un coup de tonnerre éclatât soudain, on sursautait, et puis on riait.

C'est ça : on ne rit pas du tonnerre, personne, quand on est seul.

Dans le hall d'entrée de l'immeuble de mon oncle, debout à côté de mon sac, j'attends que la pluie mollisse assez longtemps pour courir jusqu'à la voiture. Mon vol est à quatre heures.

Le martèlement de la pluie sur l'auvent de toile m'empêche d'être sûr d'avoir entendu une voix.

— Rubinstein ? C'est toi... ?

Je me retourne. Il n'a pas changé du tout. Les mêmes cheveux.

— Salut, Tommy.

— Ça alors, c'est incroyable !

— Mon oncle habite ici.

— Ah bon ? Je croyais que vous aviez quitté la ville.

— Moi, oui.

Il regarde mon sac. Les tickets d'enregistrement déchirés y pendent comme un bouquet.

— Qu'est-ce que tu fais là ?

Je le dévisage quelques secondes. Il sourit, hochant du chef de plus en plus vite en attendant que je dise quelque chose. Un sourire léger, joyeux.

— Treese est mort.

Il regarde par terre un instant, pince les lèvres puis lève les yeux sur moi, hoche encore du chef, lentement. Il tend la main pour me toucher le bras, son visage est merveilleusement sincère, sérieux.

— Comment ça s'est passé pour toi ? il dit.

— Oh, je dis, bien.

Mon oncle m'a dit naguère qu'il avait croisé Tommy Edde dans l'entrée de l'immeuble — « Un copain à toi », il a dit. Il m'a dit que Tommy Edde attendait dans le hall, qu'il attendait quelqu'un, il a dit qu'il avait l'air d'attendre quelqu'un. Il a dit qu'il avait attendu toute la journée.

C'est à ça que je pense, en le regardant. Je me rappelle ce que Treese disait, que Tommy ne voit pas plus loin que le bout de son nez. Je pense à Treese.

La pluie mollit.

— Je pense que t'as un avion à prendre, dit Tommy.

— Ben oui. Le vol de quatre heures.

Il regarde sa montre.

— Alors dépêche-toi...

Je ramasse mon sac, puis je le repose.

Dans l'appartement de mon oncle, Tommy Edde me demande ce que je fais maintenant. Il n'écoute pas mes réponses, mais approuve de la tête comme s'il les écoutait. Je réponds quand même. Au bout d'un moment, nous restons assis en silence, devant la table de la cuisine. A tour de rôle nous mettons le pain dans le grille-pain. Nous attendons que les tranches grillées sautent. Quand elles finissent par le faire, nous sursautons un peu, puis nous rions ensemble.

J'ai pensé mourir à la place de Treese, je réfléchissais à ce que ça changerait — pour lui, pour tout le monde —, un simple remplacement entre membres de la même équipe, peut-être. Treese était le plus seul de nous tous. Il avait commencé comme ça, changé, puis fini comme ça. Nous n'avons jamais su pourquoi alors que nous n'avons jamais cessé de le demander. Ce qui fait mal, ce n'est pas ce qu'il nous restait à lui dire, c'est ce qu'il nous restait à lui demander. Mais personne ne veut mourir. Ni pour un autre ni pour soi-même. Pour finir, personne n'est mort pour Treese. Et Treese est mort pour rien.

En chemin pour l'aéroport, je passe devant un petit centre commercial sur le bord de l'autoroute. A côté il y a un terrain vague. On voit que c'était un champ de maïs aujourd'hui abandonné et desséché comme une perruque jetée par terre. On y a installé une balançoire. Il y a un petit enfant, accroché là, sur le siège. C'est un siège d'enfant, le genre de siège sur lequel on s'attache avec des chaînes. Il est enchaîné. Il pivote sur lui-même, entortillant les chaînes, de plus en plus serré, puis il lève les pieds du sol. C'est comme ça qu'on s'étourdit quand on est petit : on entortille les chaînes dans un sens, puis on lève les pieds et on se met à tourbillonner, les chaînes se déroulant d'elles-mêmes, puis on les entortille dans l'autre sens.

Il y a un enfant qui tourne sur lui-même dans un sens, puis dans l'autre, tout seul dans un champ de maïs mort.

Table

BUSSIÈRE CAMEDAN IMPRIMERIES À SAINT-AMAND (10-99)
DÉPÔT LÉGAL : JANVIER 1996. N° 25036-2 (994883/1)

Collection Points

SÉRIE POINT-VIRGULE

DERNIERS TITRES PARUS

V55. Vive la sociale !, *par Gérard Mordillat*
V56. Ma gueule d'atmosphère, *par Alain Gillot-Pétré*
V57. Le Mystère Tex Avery, *par Robert Benayoun*
V58. Destins tordus, *par Woody Allen*
V59. Comment se débarrasser de son psychanalyste *par Oreste Saint-Drôme*
V60. Boum !, *par Charles Trenet*
V61. Catalogue des idées reçues sur la langue *par Marina Yaguello*
V62. Mémoires d'un vieux con, *par Roland Topor*
V63. Le Cinéma américain. Les années quatre-vingt *par Olivier-René Veillon*
V64. Le Temps des noyaux, *par Renaud*
V65. Une ardente patience, *par Antonio Skarmeta*
V66. A quoi pense Walter ?, *par Gérard Mordillat*
V67. Les Enfants, oui ! L'Eau ferrugineuse, non ! *par Anne Debarède*
V68. Dictionnaire du français branché *par Pierre Merle*
V69. Béni ou le paradis privé, *par Azouz Begag*
V70. Idiomatics français-anglais, *par Initial Groupe*
V71. Idiomatics français-allemand, *par Initial Groupe*
V72. Idiomatics français-espagnol, *par Initial Groupe*
V73. Abécédaire de l'ambiguïté, *par Albert Jacquard*
V74. Je suis une étoile, *par Inge Auerbacher*
V75. Le Roman de Renaud, *par Thierry Séchan*
V76. Bonjour Monsieur Lewis *par Robert Benayoun*
V77. Monsieur Butterfly, *par Howard Buten*
V78. Des femmes qui tombent, *par Pierre Desproges*
V79. Le Blues de l'argot, *par Pierre Merle*
V80. Idiomatics français-italien, *par Initial Groupe*
V81. Idiomatics français-portugais, *par Initial Groupe*
V82. Les Folies-Belgères, *par Jean-Pierre Verheggen*

V83. Vous permettez que je vous appelle Raymond ?
par Antoine de Caunes et Albert Algoud
V84. Histoire de lettres, *par Marina Yaguello*
V85. Tout ce que vous avez toujours voulu savoir sur le sexe sans jamais oser le demander, *par Woody Allen*
V86. Écarts d'identité
par Azouz Begag et Abdellatif Chaouite
V87. Pas mal pour un lundi !
par Antoine de Caunes et Albert Algoud
V88. Au pays des faux amis
par Charles Szlakmann et Samuel Cranston
V89. Le Ronfleur apprivoisé, *par Oreste Saint-Drôme*
V90. Je ne vais pas bien, mais il faut que j'y aille
par Maurice Roche
V91. Qui n'a pas vu Dieu n'a rien vu
par Maurice Roche
V92. Dictionnaire du français parlé
par Charles Bernet et Pierre Rézeau
V93. Mots d'Europe (Textes d'Arthur Rimbaud)
présentés par Agnès Rosenstiehl
V94. Idiomatics français-néerlandais, *par Initial Groupe*
V95. Le monde est rond, *par Gertrude Stein*
V96. Poèmes et Chansons, *par Georges Brassens*
V97. Paroles d'esclaves, *par James Mellon*
V98. Les Poules pensives, *par Luigi Malerba*
V99. Ugly, *par Daniel Mermet*
V100. Papa et maman sont morts, *par Gilles Paris*
V101. Les écrivains sont dans leur assiette, *par Salim Jay*
V102. Que sais-je ? Rien, *par Karl Zéro*
V103. L'Ouilla, *par Claude Duneton*
V104. Le Déchiros, *par Pierre Merle*
V105. Petite Histoire de la langue, *par Pozner et Desclozeaux*
V106. Hannah et ses sœurs, *par Woody Allen*
V107. Les Marx Brothers ont la parole, *par Robert Benayoun*
V108. La Folie sans peine, *par Didier Raymond*
V109. Le Dessin d'humour, *par Michel Ragon*
V110. Le Courrier des lettres, *par Roland Topor*
V111. L'Affiche de A à Z, *par Savignac*
V112. Une enfance ordinaire, *par Claude Menuet (Massin)*
V113. Continuo, *par Massin*

V114. L'Ilet-aux-Vents, *par Azouz Begag*
V115. J'aime beaucoup ce que vous faites
par Antoine de Caunes et Albert Algoud
V116. Œil de verre, jambe de bois, *par Albert Algoud*
V117. Bob Marley, *par Stephen Davis*
V118. Il faudra bien te couvrir, *par Howard Buten*
V119. Petites Drôleries et Autres Méchancetés sans importance
par Guy Bedos
V120. Enfances vendéennes, *par Michel Ragon*
V121. Amour, toujours !, *par l'Abbé Pierre*
V122. J'espérons que je m'en sortira, *par Marcello D'Orta*
V123. Petit Dictionnaire des chiffres en toutes lettres
par Pierre Rézeau
V124. Un monde sans prisons ?, *par Albert Jacquard*
V125. Tout à fait, Jean-Michel !
par Thierry Roland et Jean-Michel Larqué
V126. Le Pensionnaire, *par Claude Menuet (Massin)*
V127. Le Petit Livre des instruments de musique
par Dan Franck
V128. Crac ! Boum ! Hue !, *par Béatrice Le Métayer*
V129. Bon Chic Chroniques, *par Caroline Loeb*
V130. L'Éducation de Bibi l'Infante, *par Agnès Rosenstiehl*
V131. Crimes et Délits, *par Woody Allen*
V132. L'argent n'a pas d'idées, seules les idées font de l'argent
par Jacques Séguéla
V133. Le Retour de Tartarin, *par Albert Algoud*
V134. Une ambulance peut en cacher une autre,
par Antoine de Caunes et Albert Algoud
V135. Lexique du français tabou, *par Pierre Merle*
V136. C'est déjà tout ça, *par Alain Souchon (chansons)*
V137. Allons-y, Alonzo !, *par Marie Treps*
V138. L'Argot des musiciens
par Alain Bouchaux, Madeleine Juteau et Didier Roussin
V139. Le Roi du comique, *par Mack Sennett*
V140. La Reine et Moi, *par Sue Townsend*
V141. Dictionnaire inespéré de 55 termes visités par Jacques Lacan
par Oreste Saint-Drôme
V142. Chroniques enfantines des années sombres
par Ivan Favreau
V143. Sans nouvelles de Gurb, *par Eduardo Mendoza*

V144. Le Petit Livre des gros câlins, *par Kathleen Keating*
V145. Quartiers sensibles, *par Azouz Begag et Christian Delorme*
V146. Sacrée Salade !, *par Delia Ephron*
V147. Mauvaises Nouvelles des étoiles, *par Serge Gainsbourg*
V148. Histoire de Rofo, clown *par Howard Buten et Jean-Pierre Carasso*
V149. Vivre surprend toujours, *par Patrice Delbourg*
V150. Les étrangers sont nuls, *par Pierre Desproges*
V152. « Ma vie de chien », *par Ariane Valadié*
V153. Renaud bille en tête, *par Renaud*
V154. Lettres de Groucho à sa fille Miriam *par Groucho Marx*
V155. Dictionnaire du français des métiers *par Loïc Depecker*
V156. Les Drôlesses, *par Pierre Merle*
V157. Le Sexe des mots, *par Marina Yaguello*
V158. Brève Histoire des vacances *par Carlo Fruttero et Franco Lucentini*
V159. Le Collectionneur de collections, *par Henri Cueco*
V160. Éloge de la fourrure, *par Guy Konopnicki*
V161. La Passion selon Lampião *par Daniel Soares Lins*
V162. Inconsolable et Gai, *par Guy Bedos*
V163. Maris et Femmes, *par Woody Allen*
V164. Envie de jouer, *par Guy Bedos*
V165. L'Aventure du raï *par Bouziane Daoudi et Hadj Miliani*
V166. C'était mieux avant, *par Howard Buten*
V167. Moi, Orson Welles, *par Orson Welles*
V168. Crise et Grouchotements, *par Groucho Marx*
V169. Adrian Mole, 23 ans 3/4 *par Sue Townsend*
V170. Les Mots du sport, *par Jean-Philippe Bouchard*
V171. Dictionnaire humoristique des surréalistes et des dadaïstes *par Pierre Drachline*
V172. Le Pain des Français, *par Jean-Louis Fournier*
V173. Le Réveille-Mots, *par Alain Rey*
V174. Les Chiens aussi, *par Azouz Begag*
V175. Faire un film, *par Federico Fellini*

V176. La Strada, *par Federico Fellini*
V177. 8 1/2, *par Federico Fellini*
V178. Pac de Cro, détective, *par Paul Fournel*
V179. Du monde au balcon, *par Matthieu Rivière*
V180. Textes ?, *par Nino Ferrer*
V181. Le Curriculum Vitae de Dieu
par Jean-Louis Fournier
V182. Une devinette, ça trompe, ça trompe…
666 devinettes, ça trompe énormément !
par André Jobin
V183. Le Dico des charades, *par Nelly Charbonneaux*
V184. Le Jeu des bâtons chinois, *par Liu Baifang*
V185. Contrepétarades, *par Joël Martin*
V186. Cent Bêtes pour ceux qui s'embêtent
par Élisabeth Brami
V187. Le Gourmand émotif
par Emmanuelle Bigot
V188. Les Céfrans parlent aux Français
par Boris Séguin et Frédéric Teillard
V189. Calembourdes, *par Marie Treps*
V190. Les Leçons du nourrisson savant
par David Beauchard et Jeanne Van Den Brouck
V191. Les Voleurs d'écritures
par Azouz Begag et Catherine Louis
V192. Voulez-vous caresser l'angoulême avec moi ?
par Agnès Pierron
V193. La langue française fait signe(s)
par Rolande Causse
V194. L'Arbre d'Halloween, *par Ray Bradbury*
V195. Le Guide des mots francophones
par Loïc Depecker
V196. Farce nationale, *par Karl Zéro*
V197. Zenzela, *par Azouz Begag*
V198. Journal d'un mégalo, par Guy Bedos
V199. Du bon usage de la distance chez les sauvageons
par Azouz Begag et Reynald Rossini
V200. Sky my husband ! Ciel mon mari !
par Jean-Loup Chiflet
V201. Sky my wife ! Ciel ma femme !
par Jean-Loup Chiflet